CÃES DA AMAZÔNIA

Cães da Amazônia

Copyright © 2022 by Paulo Nascimento

1ª edição: Julho 2022

Direitos reservados desta edição: CDG Edições e Publicações

O conteúdo desta obra é de total responsabilidade do autor e não reflete necessariamente a opinião da editora.

Autor:
Paulo Nascimento

Preparação de texto:
Vitor Donofrio

Revisão:
Debora Capella

Projeto gráfico e diagramação:
Manu Dourado

Capa:
Jéssica Wendy

DADOS INTERNACIONAIS DE CATALOGAÇÃO NA PUBLICAÇÃO (CIP)

Nascimento, Paulo
   Cães da Amazônia / Paulo Nascimento. — Porto Alegre : Citadel, 2022.
   128 p.

   ISBN 978-65-5047-170-5

   1. Ficção brasileira I. Título

22-3193   CDD B869.3

Angélica Ilacqua - Bibliotecária - CRB-8/7057

Produção editorial e distribuição:

contato@citadel.com.br
www.citadel.com.br

CÃES DA AMAZÔNIA

PAULO NASCIMENTO

2022

Antonio segue em uma sequência arriscada, saltando aflitivamente de telhado em telhado pelas casas velhas da cidade. O que era previsível acontece: ele escorrega. Seus pés pisam em uma telha solta, e seu corpo é impulsionado para baixo, em direção à rua. As mãos tentam desesperadamente encontrar algum ponto firme capaz de mantê-lo naquele telhado. Ao mesmo tempo, cai sobre ele uma saraivada de tiros que atingem outras telhas, aparentemente firmes, mas longe de constituírem um porto seguro. Sua única esperança é uma calha afixada à parede.

Antonio, com muita dificuldade, consegue voltar para o telhado. Mas o que seria sua salvação momentânea é também o espaço para que a distância entre ele e o grupo que o persegue diminua perigosamente.

É um alvo fácil. Dispara mais alguns tiros em direção ao grupo, mas sem qualquer certeza de direção, apenas como uma reação natural de fuga. Para completar, termina a sequência de casas em que a perseguição insana acontece. Antonio chega a uma esquina. Não há mais para onde escapar. Olha para trás e percebe que seus perseguidores estão cada vez mais próximos. Já não atiram, pois sabem que sua presa está encurralada. É só uma questão de tempo para que tudo se resolva (do jeito deles).

1.

Alguns dias antes...

Antonio tenta não lambuzar os dedos com a calda de chocolate que cobre o bolo. Ajusta cuidadosamente todos os detalhes. Prepara meticulosamente a mesa. Um pequeno prato, guardanapos coloridos de festa. Por fim, adiciona ao topo do bolo duas velas, com um "6" e um "4". Ele se senta, olha para as velas, acende-as, mantém silêncio por algum tempo e assopra.

Corta minuciosamente o bolo e se serve. Vista por alguém de fora, a cena pareceria patética, já que Antonio está sozinho na sala, cumprindo um ritual no mínimo triste de assistir. O que aquele homem de 64 anos estava comemorando? A solidão? O rumo que sua vida tomara após 64 primaveras (ou seria "inverno" o termo mais apropriado)? Assim estava Antonio naquele dia, naquele apartamento, diante daquele bolo.

O ritual faz com que sua cabeça funcione de forma autônoma, como se ele não tivesse controle – não tinha – sobre ela. Por mais que tente evitar, "ela" não deixa nada para trás. Não há como não lembrar de tudo, principalmente das ausências. Ele sabe muito bem o que fez com sua vida. O que não entende claramente é *por que* havia feito. Aparentemente, tudo sempre estivera sob controle, sob sua responsabilidade, portanto, mas ele não consegue enxergar com clareza. A infância pobre no bairro do Bixiga, em São Paulo, era algo que nunca havia lhe incomodado.

Sabia o que queria para si: entrar para a polícia, estudar Direito e ser delegado de polícia. Mas como? De onde tiraria o dinheiro para a faculdade, como arranjaria tempo para os estudos, como realizaria esse "futuro" sempre tão presente em sua cabeça?

O pai cuidava da sapataria, e o menino Antonio era seu único filho. A mãe de Antonio não conseguiu mais engravidar. O dinheiro era pouco, mas dava para os três.

Os filmes policiais eram sua companhia quase diária. Quando tinha "algum" no bolso, logo se enfiava no cinema e assistia a tudo que podia. Daí a ideia de ser da polícia e de andar sempre com uma arma em punho – por mais que, em seu íntimo, lhe incomodassem as armas.

"Quero saber lutar para não lutar. Quero atirar melhor do que ninguém para não disparar nenhum tiro." Essa era a máxima repetida por Antonio quando se encontrava com os amigos de profissão. Ninguém entendia muito bem o que aquilo queria dizer, mas ele falava com tanta convicção que todos ficavam quietos e concordavam.

A vida foi se ajustando à realidade e, aos 26 anos, surgiu o emprego que garantiria a faculdade de Direito e a possibilidade de andar com uma arma. Tudo parecia perfeito. Apesar de não ser na polícia, como sempre havia idealizado, seu novo cargo requereu uma rigorosa seleção envolvendo muitos candidatos. Ele seria motorista e segurança do presidente do Grupo Souza e Silva.

Alguns anos mais velho que Antonio, Henrique Souza e Silva agora assumia os negócios da família com um desejo enorme de crescer, de tornar o que era grande ainda maior.

O Grupo Souza e Silva atuava em muitas áreas: mineração, transporte, investimentos. O próprio Antonio não tinha ideia da vastidão do leque de atividades do grupo. Para ele, o importante era que seria motorista e segurança do presidente da empresa. Aquilo era uma honra e lhe permitiria ganhar uma grana que jamais havia visto até então. E o melhor: era possível fazer a pé o trajeto entre seu bairro, o Bixiga, e o Jardim América, residência da família de Henrique Souza e Silva.

Tudo funcionaria como um relógio suíço – igual ao que ele um dia iria comprar. Mas a realidade sempre apresenta a conta. O trabalho pagava bem, mas exigia dedicação em tempo integral, na acepção real da palavra. Muitas vezes, as demandas eram tantas que Antonio não conseguia percorrer o caminho até sua casa e dormia na residência dos Souza e Silva. A faculdade, trancada no meio do curso após cinco semestres de dívidas e dificuldades para pagar, agora esperava por ele e por seu dinheiro, mas não havia tempo.

Comparando passado e presente, o momento parecia favorável a Antonio. Ganharia dinheiro suficiente para fazer um bom pé de meia e dentro de três ou quatro anos poderia abandonar o emprego, terminar a faculdade e finalmente prestar concurso para a polícia.

– Você sabe quanto ganha um policial, Antonio? – perguntou Henrique durante um deslocamento de carro, depois de inquirir Antonio sobre o que ele gostaria de ser na vida.

A resposta foi um choque de realidade. O salário como motorista e segurança ultrapassava em muito o de um policial. Além disso, a família Souza e Silva investia fortemente em treinamento. Antonio dispunha de aulas de tiro, lutas marciais, defesa pessoal, táticas de escape de sequestro e uma infinidade de coisas das quais ele gostava muito. Não obstante, estava prometida uma viagem ao exterior para uma imersão no mais alto nível de treinamento de defesa, algo que lhe servia de grande incentivo.

Além de todas as vantagens, os gastos diários de Antonio eram mínimos. Esses fatores, aliados à morte dos pais com uma diferença de apenas dois meses (dizem que a mãe morreu de tristeza em decorrência da ausência do marido), contribuíram para que as coisas se encaminhassem mesmo para outro rumo.

A pequena loja onde funcionava a sapataria, comprada por seu pai com as economias de toda uma vida, tinha extensão não maior do que uma garagem. Contudo, era muito bem-localizada, perto da rua 13 de Maio, no coração do Bixiga.

Antonio vendeu o pequeno imóvel e, assim, conseguiu dar uma boa entrada para comprar o apartamento onde vive até hoje, no mesmo bairro, que prefere chamar por outro nome – Bela Vista, porque é mais perto da Avenida Paulista. É nesse local que Antonio, agora, tenta equilibrar as duas velas no bolo com os números "6" e "4".

2.

Anos antes, na sala daquele mesmo apartamento, outro bolo jaz sobre a mesa com duas velas no topo. Marina, esposa de Antonio, observa as duas velas, que trazem os números "4" e "9". Ao seu lado está Lia, a filha de nove anos do casal. As duas se olham. O celular toca e Marina atende. Apesar de Lia não conseguir ouvir o que a mãe está dizendo, ela não demora a compreender o que se passa. O pai, obviamente, mais uma vez não estará presente no próprio aniversário. Marina apenas assente com o que ouve enquanto observa o desânimo tomando conta da filha. Desliga o aparelho e beija Lia na testa, que se antecipa:

— Papai não vai conseguir sair do trabalho, é isso?

Marina respira fundo e tenta explicar:

— Precisaram dele lá.

– Sempre precisam. Sempre, sempre. – Lia segura o choro.

– É um trabalho diferente, filhinha. O papai tem que seguir o que eles pedem, é assim que funciona. Faz o que eles querem, não o que ele gostaria de fazer. É parte da vida.

– Da vida dele! Só da dele! – protesta secamente Lia.

– Sim, da dele, da nossa, é o jeito. Desde que eu conheci seu pai já era assim, mas ele sente muita falta da gente, pode ter certeza disso. Você acha que ele iria preferir estar lá, carregando um "Souza e Silva" para cima e para baixo em vez de estar aqui, comendo este delicioso bolo com a filhinha dele?

Lia não fala nada, mas fica claro que não acreditou na explicação da mãe. Apenas se levanta e se prepara para ir rumo a seu quarto.

– Me acorda quando ele chegar. Quero dar um beijo de aniversário.

– Mas a gente pode cortar o bolo, você esperou o dia todo.

– Eu não gosto desse bolo. Só quero dar um beijo mesmo.

Lia vai para o quarto, deixando Marina estática, impactada com a clareza da filha ao avaliar a situação. Nove anos e ela já tem toda essa noção. "É uma pena, mas talvez ela não aceite as coisas como eu aceitei", conjectura Marina dentro de sua solidão.

Ao longo de sua convivência com Antonio, Marina descobriu que seu relacionamento seria na prática um eterno esperar. Ela chegou a temer que ele não comparecesse ao próprio casamento em função de alguma "demanda" de última hora dos Souza e Silva. Porém, o presente que ganharam do chefe do marido não era de se reclamar: uma lua de mel em Punta del Este. Quatro dias apenas, tempo máximo que a família poderia ficar sem seu motorista-segurança, mas em um hotel cassino, o que mostrava o quanto tinham Antonio em alta conta.

No fundo, Antonio apreciava cada vez mais a valorização de sua função. Sentia muito por se atrasar para os aniversários e outros eventos familiares – o que incluía o nascimento da própria filha –, mas sempre se apoiava em uma desculpa inquestionável: "Eles precisam de mim o tempo todo". Como se para Marina e Lia essa realidade não fosse dolorosa.

Em função de tudo isso, Lia nutria uma antipatia natural contra os empregadores do pai, a quem chamava de "aquela família". Por mais que Marina e Antonio explicassem a importância de um bom emprego como aquele, Lia, em sua cabeça infantil, não conseguia compreender. Queria o pai e a mãe juntos. Pelo menos às vezes, mas nem isso era possível.

Descontados esses eternos ajustes, Antonio, Marina e Lia eram felizes. Assim pensava Marina, até que...

3.

Cemitério é um local de despedidas dolorosas, mas quando se trata de um caso como o de Marina, isso tem um peso dobrado.

O enterro acaba e as pessoas se afastam, deixando apenas Antonio e Lia, agora com dez anos de idade. Henrique chega ao ouvido de Antonio e fala:

— Conte conosco. Sempre. E... não pense em fazer nenhuma bobagem.

O patrão conhecia bem seu guardião havia quase quinze anos. Sabia o que podia estar se passando na cabeça de Antonio depois do ocorrido. Ele concorda com um movimento de cabeça.

Lia olha em volta e, por fim, para o pai.

— Todos de preto — comenta Lia.

— Em respeito à mamãe, meu amor. Isso representa a falta que ela vai fazer na vida de todos que vieram aqui. Amigos, colegas e até gente que mal a conhecia. Sua mãe foi uma pessoa tão... – Antonio tenta controlar a emoção – tão especial que muita gente vai sentir falta dela além de nós.

Os dois estão de mãos dadas. Lia olha fixamente para o pai, como se não ouvisse a explicação.

– Quem vai cuidar de mim agora? – pergunta ela olhando nos olhos do pai.

– Eu. Seu pai vai cuidar – responde Antonio, que se emociona e abraça a filha.

– Você não tem tempo, pai.

A frase tem o efeito de um soco no estômago de Antonio. Ele sabe que Lia fala isso porque é a percepção que ela tem da vida – e, o pior, ele sabe que ela está certa. Já não há família, avós, nada. Marina também não tinha parentes próximos. Acabaram ficando sós no mundo, e Antonio está ciente da responsabilidade que carrega, por isso precisa dominar as perturbações que passaram a invadir sua mente nas horas que se seguiram após a perda da esposa.

Henrique não dissera aquelas palavras à toa no enterro. Alguém precisava ser sensato, e Antonio, mais do que ninguém, precisava viver para e por Lia.

A morte de Marina foi um evento absolutamente traumático para Antonio e Lia. Ela fora vítima de um assalto quando voltava do trabalho. Carro parado no sinal, vidros baixados para não provocar crises de alergia por conta do ar-condicionado e... tudo aconteceu.

Dois homens em uma moto. O carona apontou a arma para Marina, que se assustou, fazendo com que o carro, que estava engatado, desse um pequeno tranco para a frente. Isso foi o suficiente para que o carona atirasse, pensando que ela estava tentando fugir. Um tiro à queima-roupa. Marina já chegou morta ao hospital.

Antonio, fazendo o possível para sobreviver ao choque e estar apto a consolar minimamente a filha, não parou de pensar um segundo sequer após receber a notícia. Pensava na esposa, no susto, na dor e, sobretudo, em como o fato se deu. Pensava e pensava e só sentia o mesmo desejo. Sua cabeça girava, doía, mas a única ideia que visualizava com clareza era a busca pelos assassinos. Tinha capacidade, habilidade, conhecimento e contatos para tentar encontrar e matar aqueles que usurparam o amor de sua vida e mãe de sua filha.

O conselho de Henrique era uma espécie de busca pela razão. "Domine, domine esse sentimento", pensava o tempo todo. Sabia que, por mais que aquele ódio tomasse conta de si, se algo saísse errado, Lia ficaria sozinha no mundo. Não podia fazer o que pensava. Era preciso conviver com a dor e aceitar sua impotência diante dos fatos.

Os dois homens da moto jamais foram capturados. O crime, conforme Antonio já previa, passou para a categoria de "estatística". Mais uma morte em São Paulo não esclarecida pela polícia. "Uma fatalidade", como alguns chegaram ao ponto de dizer. Ele conseguiu domar e sufocar seus instintos. Doía muito. Todas as noites. Todos os cruzamentos da cidade. Tudo lembrava Marina. No entanto, pela filha, era preciso viver.

4.

Uma vez razoavelmente processada a dor, Antonio percebe que a vida precisa prosseguir, e rápido. Não havia tempo para alimentar o desejo de vingança que o perseguia. Cada vez que olhava para Lia, aumentava a certeza de que se vingar daqueles que assassinaram sua mulher seria uma traição para com a própria filha.

Assim, a vida seguiu seu curso, com Antonio dividindo-se como um louco entre a filha e compromissos da família Souza e Silva. Ele jamais se atrasava para buscar um filho de Henrique Souza e Silva na escola, na aula de esgrima ou onde quer que fosse. No entanto, não eram raras as vezes em que chegava à escola de Lia, então com dez anos, e a encontrava acompanhada apenas por uma professora no pátio deserto da escola.

— Um atraso de mais de uma hora é injustificável, mas…

— Eu já estou acostumada, pai.

— Perdão, filha.

— Por mim tudo bem, já sei que "eles" ocupam você o tempo todo, mas fico chateada pela professora.

A mesma conversa se repetia pelo menos duas vezes toda semana. Por mais que explicasse aos patrões a situação de ser a única pessoa na vida da filha, os momentos se cruzavam, e ele precisava ajustar tudo, em um esforço heroico de cumprir duas obrigações ao mesmo tempo.

O tempo passa, e Lia cresce. No entanto, um fato ainda marca a memória de Antonio: Lia, já com onze anos, no palco da escola, com uma plantinha na mão, falando sobre a Amazônia:

— Para os povos da floresta, a Amazônia é como mãe, como pai, é a vida. Será que isso é só para eles? E nós que vivemos aqui, na cidade grande? Será que a destruição que acontece na Amazônia não nos afeta?

Assim a menina prosseguiu com seu raciocínio infantil, porém carregado de lógica. Obviamente, Lia já tinha dito as primeiras palavras quando Antonio conseguiu chegar para assisti-la na apresentação. Ela olhou durante algum tempo para o assento vazio na plateia e sorriu ao ver o pai se aproximando.

Esse evento ficou registrado na memória de Antonio, pois veio a se repetir anos mais tarde da mesma forma.

Como se o tempo passasse em um piscar de olhos, Lia tinha agora 23 anos e estava no palco de sua formatura, trajando beca e exibindo seu diploma. Ela sorri e olha na direção de uma cadeira vazia na plateia, que, assim como acontecera em sua infância, é prontamente preenchida por seu pai, eternamente atrasado. Ela prossegue com seu discurso:

– A vida tira da gente coisas que jamais retornam. Por mais que a gente sinta raiva, ódio do mundo, determinadas coisas são imutáveis e, assim, temos a obrigação humana de aceitar o destino. Queria eu ver minha mãe, Marina, ali, ao lado do meu pai, Antonio, que acabou de chegar atrasado, como sempre! Mas não importa... Apesar de tudo, ele sempre chega. Agradeço a você, meu pai, por ter tentado ser mãe e pai desde que o amor de nossas vidas foi retirado de nós. Saiba que você conseguiu. Reclamei, chorei, mas entendo que você fez o máximo o tempo todo.

Antonio é só emoção. Lia continua e diz que, assim como algumas coisas são imutáveis e que precisamos aceitá-las, outras podem e devem ser mudadas. Explica que o que está sendo feito na Amazônia é um crime contra a humanidade. Governos corruptos, profissionais corruptos e empresários sem o menor escrúpulo tomaram conta de tudo e estão levando a cabo uma devastação sem precedentes.

– Para mim, não existe vida sem causa. Minha causa não é para mim, é para todos. Não pude defender minha mãe quando ela perdeu a vida de modo abominável em uma esquina da nossa cidade. Não pude mudar o destino, mas posso agora, e vou. Esse diploma de bióloga não vai para a parede em um quadro, vai para campo, para a ação. Minha causa é a defesa dessa floresta que afeta a todos, para o bem e para o mal. Sou um elemento no meio de uma imensidão, mas saibam os criminosos, os madeireiros ilegais, os políticos corruptos que falsificam documentos, aqui vai uma pedra para os seus sapatos. Não vou descansar enquanto tudo isso não mudar. Essa é minha causa, minha vida, meu futuro. Muito obrigada.

O discurso de Lia é o mais aplaudido na formatura. Antonio não cabe em si de tanto orgulho de sua menina.

5.

No restaurante Sujinho, na Avenida Consolação, local tradicional de São Paulo conhecido por sua simplicidade e pelos frequentadores (celebridades da mídia, políticos e profissionais da noite), Antonio brinda com Jonas, seu amigo, famoso jornalista e apresentador de um programa de TV com tema criminal. Com eles estão Gilberto, delegado da polícia civil, e Everton, instrutor de segurança que Antonio conheceu em seus treinamentos. Com frequência, Jonas é assediado pelos presentes no bar. É um rosto conhecido na TV.

Eles falam sobre a vida, as amizades e a formatura da filha de Antonio. O discurso de Lia é comentado com efusividade entre os presentes. Jonas conhecera Antonio na mansão dos Souza e Silva. Amigo de longa data de Henrique, acabou se aproximando de Antonio por admirar muito essa função de motorista/guarda-costas exercida por ele de maneira singular, já que Antonio tinha preparação para ser um guarda-costas de ponta, de alto nível, mas também dirigia o carro do patrão, e isso sem nenhum conflito. Jonas dizia que um dia iria escrever um livro com a história da profissão de Antonio.

O delegado Gilberto era uma das fontes de Jonas, então era natural que acontecesse uma aproximação entre eles. Acabaram criando uma espécie de "confraria" que se reunia uma vez por mês para beber e conversar, ali no Sujinho. É claro que Antonio raramente conseguia comparecer, em decorrência de sua vida atribulada.

Antonio sentia muito por não ter conhecido Gilberto antes. O delegado talvez pudesse tê-lo ajudado na elucidação do caso do assassinato de sua esposa.

Entre as conversas do dia seguinte à formatura, Antonio relata que estava levando Henrique Souza e Silva ao aeroporto no dia anterior quando ele comentou que aquele deveria ser seu último ano à frente das empresas da família. Marcelo, o filho mais velho, assumiria os negócios. Antonio sorri e se lembra de que levava Marcelo à escola, à natação, ao judô. Ele, agora, seria o "grande chefe".

– Henrique diz que quer ajudar a Lia. Disse que deve muito a mim – comenta Antonio orgulhoso.

– E deve mesmo. Você dedica sua vida a essa família – conjectura Gilberto.

– Às vezes eu penso nisso e me dá uma sensação... sei lá... será que fiz certo?

– Você fez o que foi possível – diz Jonas.

– Estou há mais de trinta anos trabalhando pra eles. Eu e o Seu Henrique envelhecemos juntos, mas... e a minha vida? Quanto tempo deixei de conviver com a minha mulher? Quantos aniversários deixei de comemorar? Sempre trabalhando e trabalhando e... qual minha recompensa?

– A recompensa é ver sua filha formada em uma boa faculdade, que você conseguiu pagar com seu trabalho – comenta Jonas erguendo o copo para um brinde.

– Saúde! – exclamam os três.

– É, devo ter feito o certo. Espero... – conclui Antonio.

6.

Dois dias após a formatura, em casa, Antonio prepara um macarrão à carbonara, o favorito de Lia. Quando a filha chega, já passam das oito da noite. Ela estranha e quer saber o motivo de ele já estar em casa, e com um "banquete" à espera. Orgulhoso, Antonio diz à filha que há uma vaga para ela no Grupo Souza e Silva na área ambiental. Lia fica constrangida, pois percebe a alegria do pai com a notícia. Não sabe como expressar de uma maneira que não o magoe, mas também não pode enganá-lo.

— Pai, fico muito feliz por você se preocupar comigo, por ter ido atrás de um emprego pra mim, mas...

Antonio imediatamente percebe que o macarrão à carbonara não iria descer tão bem como ele imaginava. A reação de Lia é clara:

— Eu não quero um emprego, pelo menos não dessa forma. Acho bacana a empresa que você trabalha ter esse tipo de preocupação ambiental, mas o modelo de trabalho que quero é outro.

— Outro? Que tipo de "outro"?

— Não tenho isso muito claro, me formei anteontem... — desconversa Lia.

— Sei...

— Mas, sério, tô emocionada de você ter batalhado por mim, ter buscado isso, muito legal, legal mesmo.

— Não fiz nada mais do que um pai deve fazer — fala Antonio com inegável desapontamento e mau humor.

— Fez, sim. Fez uma massa à carbonara para sua filha. Fez tudo o que pôde, pai, eu quero que você saiba que reconheço isso, e muito.

Assim, o jantar surpresa de celebração do novo emprego acabou se transformando em mais um passo de autoconhecimento entre pai e filha, ainda que o resultado não tenha sido o esperado por Antonio.

Antonio ainda pensava no assunto no dia seguinte, enquanto esperava o neto de Henrique, filho de Marcelo, sair da escola.

A babá e o garoto entram no veículo. Antonio abre e fecha a porta de trás e, ao dirigir-se a seu assento, um homem chega correndo e o ataca. Antonio, em um gesto rápido, derruba o homem sobre o capô e aplica-lhe um soco que o deixa tonto. Corre e entra no carro.

Ao arrancar, é fechado por outro automóvel. Dois homens descem e apontam suas armas para o carro conduzido por Antonio, que, imediatamente, engata a marcha à ré em alta velocidade. Ele percorre mais de meia quadra e depois dá um cavalo de pau, deixando o carro de frente para a rua. Os dois homens dão vários tiros, que atingem a lataria blindada. Eles acabam desistindo da perseguição, pois o carro de Antonio já vai longe, dobrando a esquina em alta velocidade.

No banco de trás do veículo, o garoto, assustado, começa a chorar.

– Tá tudo bem. Tá tudo bem – diz Antonio enquanto dirige com toda atenção.

– O que aconteceu, tio? – pergunta o garoto tentando controlar o choro.

– Nada, eles acharam que éramos outras pessoas. Foi engano, mas já está tudo bem. Vamos chegar logo em casa.

Tentando desconversar, Antonio continua:

– Como foi a aula hoje?

Naquele mesmo dia, Henrique chamou Antonio ao escritório para agradecer a coragem do funcionário em conseguir evitar o que provavelmente seria o sequestro do neto.

– O treinamento sempre foi útil – responde Antonio.

– Você foi útil. Você foi um herói. De nada adianta treinamento para quem não tem capacidade. Eu e minha família agradecemos muito a você.

As palavras de Henrique enchiam Antonio de orgulho.

Por via das dúvidas, Antonio termina o dia disparando em um alvo em um estande de tiro. Sua marca é certeira. Todos os tiros absolutamente no alvo.

7.

Lia marca um almoço com o pai, que fica bastante surpreso com a iniciativa. Driblando a agenda cheia, ele consegue chegar à cantina de massas localizada na rua Pamplona. Antonio considera a escolha do local bastante significativa, pois é o mesmo lugar onde ele e Lia costumavam almoçar quando ela era criança, durante suas raras folgas, que nem sempre coincidiam com as do resto do mundo.

Antonio se lembra do quanto Lia adorava a cantina cheia de camisetas de times penduradas no teto. Eram momentos felizes, que continuaram a acontecer, ainda que forçosamente, após a morte de Marina. Pai e filha faziam de tudo para manter a normalidade durante os almoços. Era como se Marina ainda estivesse ali com eles.

Antonio chega atrasado – pouco atrasado, na verdade –, mas a tempo de ver Lia sentada à mesma mesa que ocupavam desde a infância.

– Você não esquece a mesa – diz Antonio abraçando a filha.

– O tempo passa em algumas coisas, pai; em outras, ele fica parado, esperando a gente se lembrar dele – responde Lia com a voz carregada de melancolia.

Os dois se sentam e pedem o de sempre, como se fosse um dos almoços dos muitos anos anteriores. Lia demonstra estar um tanto nervosa, mas finalmente dá início à sua explanação:

– Pai. Fui contratada.

O rosto de Antonio se ilumina. Ele fica tão feliz que não percebe que Lia está procurando palavras para falar com ele.

– É uma ONG.

A expressão de Antonio se altera repentinamente.

– ONG? – ele questiona. – Eu nem sabia que existia emprego em ONG, achava que todo mundo trabalhava de graça.

– É um trabalho normal, como qualquer outro. Eles precisavam de uma bióloga, me candidatei e fui aceita.

– E onde fica? É longe lá de casa?

Diante do silêncio de Lia, ele insiste:

– Dá pra ir de carro? Você precisa comprar um, parar com esse negócio de não querer carro e…

– É na Amazônia. Santarém – interrompe Lia.

O silêncio toma conta da mesa. Antonio murcha. Não sabe se olha para a filha, para a porta, para o garçom ou para lugar nenhum. Está atônito, de uma maneira que não imaginava ser possível. Jamais na vida havia se preparado para ficar distante da filha – sequer cogitara essa hipótese, ainda que ela se apresentasse diante de seus olhos todos os dias. Por que ir para longe? O que Antonio havia feito para merecer isso? Eram perguntas que invadiam a cabeça do pai assustado, perturbado e incrédulo diante da filha.

– Eu sabia que você ia ficar chateado, pai, mas preciso pensar na minha carreira, no meu trabalho, no meu futuro. Eu sempre quis fazer isso, você sabe... E aí uma chance dessas surgiu na minha vida, tenho que aproveitar.

– Mas... Somos só nós dois, filha...

O argumento brotou com uma espontaneidade comovente. Lia fazia um esforço monumental para se manter equilibrada durante o desenrolar da conversa, que a partir daquele momento começava a soar infantil. Ali, naquela mesa, com as camisetas de times pairando sobre o teto, estava um homem perdido diante da revelação que ela tanto protelara para fazer.

– Eu sei, pai, mas a gente não vai conseguir morar juntos a vida inteira. Eu cresci.

– Sim, cresceu, eu vi, me orgulho disso. Mas não precisava me abandonar.

– Pai, eu não estou abandonando você. Não tô indo pra outro planeta, vou pra floresta, vou fazer o que me preparei a vida toda pra fazer. Qualquer pai ficaria feliz em saber disso.

– Qualquer pai... qualquer pai... que gostasse de perder a única filha, de ficar sozinho, de saber que ela vai pra muito longe. Quem gostaria disso?

– Bom – Lia começa a se irritar –, eu tô falando com toda a sinceridade, abrindo o que sinto. Mas se você não quer entender, eu não posso fazer nada.

– Isso! Fala assim comigo! É assim que sou tratado agora!

– Pai, para de chantagem! Isso não combina com você. Não dificulta as coisas, por favor!

– É você que está dificultando as coisas escolhendo ir pro fim do mundo quando tinha um trabalho certo aqui, em uma empresa sólida, pronta pra receber você e pagar bem.

– Essa "empresa sólida" de que você se orgulha é a mesma que te escravizou a vida toda. Não quero cair nas mãos deles e virar uma escrava disponível 24 horas por dia como você. Não quero isso pra minha vida.

Antonio fica chocado com as palavras da filha. Era uma avaliação crua, como jamais ouvira. No entanto, o pior para ele era o quanto de verdade as palavras de Lia carregavam. Ele de fato era um escravo "daquela família", não havia como negar. Não havia argumentos contra os fatos... Mas não eram os fatos que faziam doer, mas sim ouvir tudo aquilo da boca da própria filha, constatações que ele sempre evitou encarar. Agora, contudo, era importante reagir, mesmo sem convicção alguma.

— Você não devia falar assim deles.

— Ah, não? Vou ser bem sincera com você, pai. Muitas vezes achei que eles é que fossem sua família. Os "Souza e Silva" fazem parte de você, os queridos que você apoia incondicionalmente. Os que fizeram você se atrasar, isso quando ia, a quase todos os eventos da minha vida. É isso o que eles representam pra mim, não respeito. Respeito a gente tem por quem nos valoriza. Você não está me valorizando neste momento. Quero ser feliz, quero trabalhar, quero ter liberdade, não é um crime. Você tinha que me apoiar.

Lia termina de falar e se levanta. Pega sua bolsa e deixa Antonio sozinho no restaurante. Naquele momento, era como se uma bigorna estivesse acoplada à sua cabeça, tão grande era o peso que sentia. Um cansaço de tudo. Uma dúvida sobre o que teria valido a pena.

Era como se um turbilhão de emoções girasse dentro dele. Por que tudo aquilo? O que teria feito de errado? Teria acertado em alguma coisa? Tudo isso se confundia. Antonio pediu a conta ao velho conhecido garçom, limitando-se a dizer que a cena foi um mero desentendimento entre pai e filha, evitando assim dar maiores explicações.

8.

Uma hora e meia mais tarde, Antonio ainda está digerindo o fato ocorrido com a filha no restaurante enquanto conduz o carro dos patrões. Ele está transportando Marcelo, o herdeiro da família.

Para desanuviar a cabeça, puxa assunto com Marcelo, que nada responde. Está concentrado no celular e não lhe dá a mínima. Chegam até a residência do herdeiro.

Antonio, que sempre pergunta se seus serviços ainda serão necessários, dessa vez se limita a estacionar o carro e sai, decidido. Demorou uma vida, mas agora é necessário agir por conta própria, de acordo com sua vontade, e não sufocado pelo exíguo tempo de folga concedido.

A prepotência de Marcelo ao ignorá-lo talvez tenha sido o sinal de que Antonio precisava para dar-se conta da realidade que o

cercava. A verdade era que sempre fora insignificante para eles. Será? Mas sempre diziam que ele era muito importante... Seria mesmo?

Essas dúvidas levaram Antonio a se postar, quinze minutos depois, junto à saída da Estação Consolação do metrô, na Avenida Paulista. Ele sabia que dali a poucos minutos Lia desembarcaria naquele local, pois estava frequentando um curso de quatro semanas nas redondezas.

Lia sobe a escadaria e dá de cara com o pai. Inicialmente, não sabe como reagir. Antonio abre os braços e abraça fortemente a filha. É uma reação espontânea que perturba a garota. Ele nunca foi dado a reações muito espontâneas e emocionais.

— Paz? — pergunta Antonio ainda abraçado à filha.

— Sempre, pai. É só você entender o meu sonho, a minha vida. Se agir como se eu tivesse seis anos, aí a gente vai ter dificuldades de diálogo. Só isso.

— Eu sei, Lia, eu sei. Egoísmo meu, não tenho outra coisa a dizer. Não consigo me acostumar com perdas, é isso.

— Não faz assim, pai. Não é uma perda a sua filha trilhar seu caminho, fazer aquilo que sempre imaginou na vida.

— Claro! Você tem razão. Que pai não ia querer ver a filha se formar e já sair com um emprego... O que me deu foi ciúme, falta, ausência, sei lá. Tô sendo transparente aqui na sua frente.

— Isso é o que sempre pensei que você faria. Por isso minha irritação, meu susto até, lá no restaurante. Eu queria esse abraço que você está me dando agora.

Os dois seguem caminhando pela Avenida Paulista.

– Tô ficando velho, mas ainda preciso amadurecer para entender como o mundo funciona de verdade. Você é... você é tudo o que eu tenho na vida, então fico assim, meio besta, meio burro, meio perdido.

Lia ri e abraça forte o pai. Se alguém olhasse para aqueles dois, sentiria alegria em ver um pai e uma filha andando calmamente em meio àquela movimentação absurda.

– Você precisa reconstruir sua vida, pai. Achar uma pessoa, uma companhia, pra não se sentir tão sozinho.

– Depois da sua mãe fica difícil achar alguém...

A frase de Antonio emociona Lia, que o convida para tomar um café. Os dois entram em um Starbucks localizado quase em frente ao MASP. Nem a longa fila atrapalha o humor de pai e filha.

– Agora podemos terminar nosso assunto sem o "final dramático" do almoço – diz Antonio.

– "Dramático" porque você estava em seu "estado bruto", como você diz.

Os dois riem enquanto recebem seus cafés, acompanhados de um pão de queijo cada. A vida parecia ter voltado ao normal na relação Antonio/Lia de sempre.

– Quando você vai?

– Na sexta.

Aquela breve frase representava que Antonio teria a presença da filha por mais míseros três dias. Ele reuniu todo o controle que conseguiu, a fim de não repetir a reação que tivera no almoço. Adotando uma nova postura acolhedora, limitou-se a sorrir e dizer fracamente:

– Que bom...

E assim Antonio conseguiu algo raro em sua vida: tirou três dias de folga. Não abriu espaço para que os Souza e Silva repetissem a ladainha sobre o quanto precisavam dele etc., como faziam de costume. Limitou-se a dizer que não trabalharia nas próximas 72 horas, o que, após trinta e tantos anos de trabalho, era uma atitude razoável. Fez questão de enfatizar o termo "horas", para destacar o quanto sua demanda não era nada de mais.

Foi o suficiente para que pudesse conviver com a filha mais do que fora possível nos últimos dez anos. Comeram, riram, falaram sobre coisas boas – e não tão boas –, assistiram a dois filmes, secaram duas garrafas de vinho em uma noite, falaram mal dos Souza e Silva – e bem, às vezes –, comentaram os treinamentos e as situações pelas quais as pessoas passam diante de ações violentas.

E foi aí que o clima pesou, pois o tema da morte de Marina inevitavelmente veio à tona.

Pela primeira vez, Antonio confessou à filha ter pensado sobre um plano para se vingar dos caras que haviam ceifado a vida de seu grande amor. Ele chorou, e isso foi algo que Lia nunca havia visto, a não ser no enterro da mãe. Contou que tinha tudo pronto em sua cabeça para encontrar os dois assassinos, algo que a polícia não fez, e acabar com eles. Seria arriscado? Sim, muito. Mas por um tempo ficara cego, só pensava nisso.

Lia não sabia, mas foi por causa dela que Antonio desistira da vingança. Sem saber, sem ter noção de nada, ela acabou mostrando a ele o quanto aquela ideia poderia dar errado. Se isso acontecesse, daí sim o mundo acabaria para a pequena e inocente garota que havia perdido a mãe. "Diante de uma possibilidade tão grande de falhar e do preço que isso teria, não pude arriscar."

Ambos conversaram e conversaram até o momento de carregar as bagagens de Lia no carro em que Antonio a levaria ao aeroporto.

Antonio dirige ao lado da filha. Evita pegar a pista expressa da marginal, como que para ganhar mais tempo, um mínimo de tempo que o engarrafamento da pista lateral propiciava naquele momento. O clima já havia saído da leveza para a emoção em estado bruto. Não tinha como manter a magia dos últimos três dias naquele trajeto até o aeroporto. Antonio procura não acelerar. Aproveita o máximo que consegue os preciosos minutos ao lado da filha.

Lia diz ao pai o quanto o ama e pede desculpas por algumas grosserias, justificando que, talvez, tenham ocorrido simplesmente porque ela queria conviver mais com ele. Que a ausência dele a levara a repudiar "aquela família" e a reclamar tanto.

— Esses dias foram muito importantes para que eu pudesse me acostumar... comigo mesmo. Vou ser minha companhia a partir de agora.

— Não fala assim, pai. Não tô indo pra outro planeta.

— Eu sempre soube que você tinha nascido pra defender uma causa, mas essa causa não precisava ser tão longe de casa. Podia ser os desamparados da Cracolândia ali no Centro.

Os dois riem com a inevitável ponta de amargura do momento.

Chegam então ao aeroporto. Antonio pede para não ir até o portão de embarque. Seria mais fácil para sua cabeça voltar dali, do carro mesmo. Lia entende e dá um beijo no pai.

— Até muito breve.

Foi assim que ela se foi. Foi assim que Antonio voltou para casa, buscando motivos para não se sentir tão arrasado como estava, mas ele sabia que existem horas em que aceitar é o melhor a se fazer. Então, aceitar sua dor era menos dolorido do que a enfrentar. Ele tinha coragem. Sabia disso. Lia havia sofrido o suficiente na vida e agora tinha o poder de ser ela mesma. Mas e quanto a Antonio? Talvez precisasse mesmo reconstruir sua vida, como a filha falou. Mas onde? Quando? Ele não tinha tempo para nada.

9.

O dia da despedida completou-se com algo que realmente perturbou Antonio. Logo ele, o cara treinado para estar sempre prevenido, para se antecipar a todo tipo de problema, que conseguia enxergar os perigos ocultos nas evidências, deixara de realizar um procedimento básico: pesquisar na internet sobre a empresa que empregaria a filha.

Fazer a pesquisa naquele momento poderia ser torturante. E realmente foi. A ONG para a qual Lia agora se dirigia rumo ao seu primeiro trabalho como bióloga se chamava The Legal Amazon. Até aí tudo bem, disso ele já sabia. Mas, ao pesquisar com mais cuidado, Antonio percebeu que se trata de uma organização internacional com uma postura radical. Eles denunciam madeireiros, garimpeiros e, naturalmente, têm muitos inimigos.

As ações são divulgadas no mundo todo, mas os riscos são claríssimos. Havia na internet, inclusive, o depoimento de um pistoleiro preso em uma das investidas do grupo jurando de morte um dos integrantes da ONG. Os membros da The Legal Amazon apresentam um semblante destemido, mas é pública e notória sua vocação para atrair confusões, algumas com consequências violentas.

Antonio sabia que tentar argumentar alguma coisa sobre isso com sua filha, agora, quando a paz reinava entre eles, seria como um tiro na água. Por mais que insistisse, nada mudaria, e talvez ela viesse a interpretar aquilo como uma quebra de confiança – que ele arduamente conquistara após os eventos do almoço na cantina. Era melhor engolir tudo aquilo e fingir que não havia visto nada.

"Mas e se acontecesse algo?", pergunta-se Antonio durante toda a noite, revirando-se na cama em uma insônia insuportável. Jamais se perdoaria. Mas como poderia intervir? Como quebrar o padrão de pedra sólida e intransponível da filha?

Enquanto a luta interna preenchia as horas de Antonio, na sede da The Legal Amazon, em Alter do Chão, na Amazônia Legal, Lia já está reunida com mais seis colegas, todos jovens como ela. O líder da ONG, João Caetano, faz uma explanação sobre as atividades do grupo. É uma espécie de treinamento para Lia e Osvaldo, os novatos.

Osvaldo é indígena, proveniente da tribo Munduruku, dominante na região. Como filho do cacique, combatia aqueles que destroem a floresta com garimpos e extração de madeira ilegais, grilagem, assassinatos e uma horda de situações criminosas que, em outros lugares, poderiam ser consideradas crimes contra a humanidade. Mas aqui, no Brasil, aconteciam às vistas de todos, sem qualquer punição. Yara, irmã de Osvaldo, também é integrante da ONG.

Lia tenta disfarçar a tensão, pois sabe bem onde está se metendo. A dicotomia entre o que ela sempre sonhou fazer e os perigos inerentes à realização desse sonho fazem emergir um medo natural da atividade. Ela poderia estar dando aulas de Biologia ou fazendo mestrado, como a maioria dos colegas, mas não, estava no campo, no meio da batalha, e assim seria. Assim enfrentaria cada dia.

Tudo o que acontecia na distante Amazônia estava insistentemente presente na cabeça de Antonio, mesmo que ele não soubesse. Sua intuição paterna era uma espécie de teletransporte a um mundo que ele não conhecia, porém podia sentir.

Antonio está absorto em suas reflexões enquanto dirige. Como que por transmissão de pensamentos, Henrique Souza e Silva pergunta sobre Lia. Antonio é tomado de surpresa pela indagação do patrão, que o resgata de seu mundo imaginário. O diálogo continua:

– Eu lamento muito por ela não ter aceitado o convite do Grupo Souza e Silva.

– O senhor não imagina o quanto *eu* lamento, doutor.

– É, Antonio… Essa juventude já vive em outra época. Eu tento me adaptar, mas é difícil. Eles são outras pessoas, e a gente tem que ficar assistindo ao *show* deles.

– Nunca pensei ouvir isso do senhor – diz Antonio rindo. – Quer dizer, nunca pensei que o senhor fizesse a mesma avaliação que eu.

– Eles fazem o que querem – continua Henrique. – Veja o Marcelo. Para ele, eu represento o atraso. Tudo o que fiz, tudo o que construí, pertence à "parte histórica do grupo", como ele diz, e não ao presente. Como se eu não tivesse feito uma empresa média virar tudo isso que o grupo é hoje.

Em meio àquelas constatações amargas, até certo ponto surpreendentes para Antonio, ambos continuam a conversar sobre filhos e sobre como eles se transformam a partir das informações que adquirem. Mas é Henrique quem coloca a "cereja do bolo" nas preocupações de Antonio:

– Olha, devo confessar que acho a Amazônia um lugar bastante perigoso para uma garota idealista como a Lia – diz ele, com pesar em sua fala.

A frase atinge Antonio como um soco, um tiro, uma rasteira, ou tudo junto. Era tudo o que ele não precisava ouvir.

10.

"Preciso praticar." Esse foi o pretexto utilizado por Antonio. Mas, na verdade, do que ele precisava era fugir um pouco da realidade. Os coices dos disparos da pistola automática calibre 45, cujo ruído era abafado pelos fones, e os golpes de luta marcial desferidos contra o treinador e amigo Everton denunciavam que aquele não era um dia comum. O treinamento fora além da exaustão, levando Antonio a pedir desculpas ao experimentado Everton por sua violência.

O treinamento ministrado por Everton há mais de vinte anos era muito completo. Antonio praticava tiro em alvos fixos e móveis. Lutas individuais e coletivas. Escaladas e fugas. Sessões específicas com facas de todos os tipos. Corridas sobre obstáculos, cordas, tudo com base na doutrina de treinamento recebida anualmente de integrantes do Mossad, o serviço secreto israelense.

Para Antonio, o Mossad representava uma espécie de mentoria. Havia sido enviado a Tel Aviv, em Israel, em uma das raras viagens internacionais que fizera – conforme prometido a ele na ocasião de sua contratação –, para um mês de imersão em um quartel-general da Força, ao norte da cidade. Jamais se esqueceria das lições aprendidas ali, tampouco da disciplina que encontrara naquele "serviço civil" fundado em 1949 que respondia diretamente ao primeiro-ministro de Israel.

No Mossad, Antonio aprendeu a base para toda a sua técnica. Everton o havia acompanhado na ocasião, e Antonio passou a respeitá-lo ainda mais ao perceber o quanto o amigo e treinador era estimado como membro da Força, embora não tivesse qualquer relação com aquele país ou sua cultura.

Certa vez, Lia teceu comentários nada elogiosos acerca do Mossad, mas Antonio relevou, compreendendo que peitar estruturas e autoridades fazia parte da personalidade da filha. Ele sabia o quanto Lia contestava seu trabalho, então aquilo não era exatamente uma surpresa.

Antonio chega em casa exaurido pela severidade atípica do treinamento do dia, mas, acima de tudo, pela perturbação que toma conta de sua cabeça. Decide então ligar para Lia e revelar, com todo o cuidado e trato quanto fosse possível, sua preocupação com aquilo que descobriu em sua pesquisa pela internet.

Como já era de se prever, Lia diz ao pai que ele havia prometido deixá-la seguir seu caminho e tentar ser feliz, argumentando que se sentia realizada com o trabalho.

— *Além disso, pai, não faço parte da equipe que realiza as ações. Minha função como bióloga é mais técnica.*

— Filha, eu não queria, mas acabei pesquisando todas as ações do seu grupo, e é difícil acreditar que você não tenha participação nenhuma.

— *Pai, vou dizer a verdade, como sempre. Sabe por que ainda não participei de nenhuma ação? Porque não me deixaram. Eu queria e quero. O mundo não é para os covardes, e foi você que sempre disse isso, mesmo que eu considerasse essa posição preconceituosa. Mas hoje, vendo o que acontece aqui, ou eu mergulho no que acredito ou viro uma fracassada e triste. Minha alegria vai ser fazer alguma coisa, não por alguém, mas por todos. Essa é minha missão.*

Diante da vigorosa argumentação da filha, que se baseava naquilo que ele mesmo sempre havia pregado, só restava dar boa--noite e se recolher à sua solidão e angústia. Nada impediria sua garota de agir de acordo com a própria consciência, e Antonio era o principal responsável por isso. Havia treinado mentalmente a filha para ser forte. Agora era isso que ela fazia. O que poderia dizer? Se fosse religioso, rezaria agora. Mas nem isso ele sabia fazer.

11.

Antonio comemora o aniversário de 63 anos sozinho. Está ouvindo Lia ao telefone. Ela se desculpa por não poderem comemorar o aniversário juntos, mas também o alfineta por ele nunca ter tirado alguns dias para visitá-la na Amazônia, mesmo com toda a insistência dela.

E, como se fosse um ato contínuo, Antonio comemora 64 anos, nas mesmas condições de solidão. Lia, ao telefone, desculpa-se outra vez por sua ausência, aproveitando para novamente apontar a incapacidade do pai de lhe fazer uma visita e conhecer seu mundo, seu trabalho, seus amigos. Antonio responde à cobrança dizendo que já não se viam havia dois anos. Lia não deixa barato e menciona a "escravidão" do pai como motorista e guarda-costas "daquela família", o que o impedia de tirar ao menos alguns dias de férias.

— Eu teria muito a contar a você se a gente pudesse se encontrar. Mas isso já é uma questão de amor-próprio, pai. Já que você não pode, num intervalo de dois anos, tirar alguns dias para me ver, eu... eu também não vou atrás de você. E isso é uma pena. Juro que você teria muitas surpresas boas se viesse aqui...

Assim, Antonio amarga mais um aniversário. Um mero "recorta e cola" da vida. Sozinho, longe da filha, incapaz de tomar uma atitude e pedir férias. Incorporado, enfim, a um ambiente que o transformou em mais um dos móveis daquela empresa, daquela família que lhe consome todo o tempo de vida.

E tudo permaneceria eternamente assim, não fosse um telefonema da secretária de Marcelo Souza e Silva, o novo presidente.

Antonio chega à sala da diretoria do Grupo Souza e Silva. É um escritório requintado, instalado em um prédio espelhado na avenida Berrini, junto a muitas outras empresas. A sala de Marcelo, que outrora fora de Henrique, está totalmente diferente do que Antonio se lembrava.

Era uma mudança radical, como se cada copo, caneta, mesa e cortina tivessem sido trocados. A única lembrança da gestão de Henrique era o imenso símbolo, talhado em bronze e fixado junto à parede lateral de vidro. Antonio olha para o símbolo e sorri internamente. "Henrique não se deixou vencer por completo", pensa ele. O logo da companhia consistia em dois cães frente a frente lutando. Era tratado como algo sagrado, um totem, um elemento intocável, desde a fundação da empresa.

Com revelia – e Antonio já havia percebido que o tratamento respeitoso era de gosto do novo presidente –, ele se aproxima e diz:

– O senhor mandou me chamar?

Marcelo, com a frieza característica que adquiriu ao longo do tempo, lança a Antonio um olhar irreconhecível, e começa sua explanação:

– Você certamente já está sabendo que sou o novo presidente da companhia.

– Sim, e fiquei imensamente feliz. Ver o menino que acompanhei por toda a vida chegar a esse posto é um orgulho!

Marcelo demonstra desaprovar a intimidade insinuada pelo motorista. Continua a falar, como se não tivesse ouvido as palavras sinceras de Antonio:

– O grupo vai mudar muito, Antonio, e vamos todos respirar novos ares. Nada de antigo ficará como marca desta organização.

Antonio mal consegue conter um sorriso de canto de boca ao ouvir essa frase e olhar para o logo com os cães se atacando no painel de bronze ao fundo. "Nada antigo? Tá bom…", pensa ele.

– Bom, Antonio, sem mais delongas, vou direto ao ponto. Acredito que passados 38 anos de serviços, muito bem-executados, destaco, tenha chegado a hora de você descansar.

"Descansar." A palavra ecoava na mente do funcionário. "Como alguém finalmente pensou nisso?"

– Você envelheceu – continuou Marcelo –, precisa admitir isso. É a vida… Então, não precisamos mais dos seus serviços. Mas, claro, a Souza e Silva é uma empresa que valoriza os funcionários que envelheceram aqui dentro, então pode passar no RH para tratar de sua demissão. Uma boa indenização será depositada na sua conta.

"Envelheceram aqui dentro". Isso era o que mais doía, porque confirmava algo que Antonio sempre se negara a enxergar. São eles que determinam quando você está velho, não a natureza.

Essa é a realidade. Não havia como enxergar a situação sob um viés positivo. Foda-se a "boa indenização", foda-se o jeito gélido, sem alma, sem sangue, como aquele filho da puta que ele havia visto crescer falava. Antonio dera a vida para aquela empresa e agora era como os móveis e as canetas que foram para o lixo. Trocados por algo mais "clean", sem alma, sem gosto, sem cheiro, sem nada, tal qual o novo mandachuva do grupo.

Foda-se o segurança que requisitou seu crachá quando ele saiu do prédio. Jamais voltaria àquele lugar, sequer olharia em sua direção, a não ser que fosse para explodir uma bomba andar por andar daquele monumento envidraçado que já não representava nada para ele.

Antonio passou a odiar Marcelo, Henrique, aquela família, aquele jeito de sugar a vida e dar em troca uma "boa indenização". Foda-se o mundo que ele deixara para trás.

Lia sempre esteve certa. Lia sempre esteve...

12.

Antonio chega em casa completamente abalado, perdido, sem saber como seriam as próximas horas, os próximos dias, os próximos meses e anos. É algo que ele nunca havia sentido.

Enquanto isso, na Amazônia, na sede da The Legal Amazon, estão reunidos Lia, o líder João Caetano, Jorge e os irmãos indígenas Osvaldo e Yara.

– É o maior carregamento de ipê já realizado para qualquer país em toda a história – explica Jorge. – A audácia desses caras em fazerem isso é a prova de que há muito poder por trás. Não são madeireiros locais fazendo negócios. É coisa de gente grande, que precisou escalar muitas esferas do governo para realizar uma operação desse porte, enviando tamanha quantidade de uma das madeiras mais nobres da floresta para os Estados Unidos.

– O país de origem nunca me surpreende, mas o destino... – comenta Lia.

– Pois é – assente João Caetano. – O fato de eles montarem uma operação dessas, envolvendo os Estados Unidos, é o que mais me assusta.

– Pra chegar nesse nível, o financiamento deve ter sido gigantesco, porque, por mais que dê um lucro absurdo, só alguém com muita grana para poder comprar autoridades, fiscais, documentação, certo? – conjectura Lia, buscando saber se suas percepções estão corretas.

– O objetivo agora é descobrirmos quem está por trás disso. O resto é consequência dessa informação – responde o líder.

A janela explode, interrompendo a reunião abruptamente. Estilhaços de vidro voam para todo lado. Há fogo também. O deslocamento de ar provocado pela explosão acaba arremessando todos ao chão. A porta é derrubada, e cinco homens invadem o local. São liderados por Nico, um homem de sotaque italiano, por volta dos cinquenta anos de idade. É ele quem distribui as ordens para os demais membros do grupo.

Jorge é o primeiro a se recuperar do impacto. Em meio à poeira, ele levanta a cabeça e tenta fugir pelo buraco deixado pela janela destruída. Ao aproximar-se, é atingido por um tiro disparado por Nico a uma distância curta. Cai sobre o que sobrou dos vidros da janela, que acabam por penetrar-lhe o corpo como se fossem facas, fazendo com que ficasse com as pernas para dentro da sala e o restante do corpo pendurado do lado de fora.

As chamas que consomem o lugar sobem pelas cortinas e atingem o corpo de Jorge, fazendo emergir uma cena dantesca. O jovem, que havia poucos minutos falava sobre a ação que iriam empreender, ardia ali, na frente de seus amigos. Aquele era um despertar para todo o grupo, ainda atordoado pelo impacto da explosão.

Lia é quem está mais afastada, perto do canto da sala. A visão do amigo naquela condição é aterrorizante, mas, ao mesmo tempo, é também um claro recado ao cérebro de que o perigo à volta é absurdamente intenso. Fumaça e poeira tomam conta de tudo. Ela aproveita a pouca visibilidade e a confusão para disparar pelo corredor na direção de alguma saída no interior da casa. Suas ações baseiam-se mais no desespero do que na racionalidade, apesar de que não era possível correr para qualquer outra direção.

Dois dos invasores começam a perseguir Lia imediatamente. Ela tropeça, mas se levanta e, cambaleante, consegue adentrar um pequeno banheiro. Respira fundo, tentando recobrar o controle. Precisa pensar, e rápido. O que seu pai faria naquela situação?

Durante toda a vida, Lia ouviu do pai sobre a importância de manter o controle diante de situações de perigo extremo. Ela percebe que a única coisa a fazer é bater com todas as suas forças a fim de quebrar a janela basculante para poder dar o fora dali. Lia cerra os dentes e concentra toda sua força contra o vidro temperado da janela, que não parece ceder aos golpes. Ela sabe que em poucos segundos os bandidos arrombarão a porta. A tensão é extrema.

Lia esmurra o vidro com as mãos enroladas em uma toalha, mas a dor é muita e o resultado é nulo, pois a toalha acaba por amortecer o impacto. Em uma atitude desesperada, golpeia o vidro com as mãos desprotegidas.

A porta é arrombada, e os dois homens entram. Lia leva um soco que a faz cair no piso do banheiro desnorteada, apavorada e sem qualquer possibilidade de reagir. Os dois a arrastam para fora, puxando-a pelos pés. Recuperando levemente as forças, ela grita a plenos pulmões, mesmo sabendo que é uma batalha perdida. O nariz sangra, atingido parcialmente pelo soco.

Quando Lia é levada para a frente da ONG, João Caetano, Osvaldo e Yara já estão dominados. Eles têm as mãos amarradas para trás e estão sentados no chão empoeirado. Lia olha de um para o outro, à procura de algum sinal de seu líder sobre o que fazer, alguma possibilidade de fuga daquele lugar, daquele momento assustador.

Naturalmente, não havia nada a ser feito. Estavam dominados por bandidos, o que, de certo modo, respondia aos seus questionamentos de minutos atrás. Eram homens ligados a alguém muito poderoso, que bancava tudo aquilo. O que João Caetano e seu grupo ignoravam, entretanto, era até que ponto poderia chegar a violência que agora os vitimava.

O que mais assustava era ficar cara a cara com Nico, que constava em todas as listas internacionais de criminosos – não apenas as ambientais. Tinha um histórico de sadismo e psicopatia que João Caetano conhecia bem. Osvaldo e Yara tinham a imagem de Nico registrada em suas mentes em função de ele já ter se envolvido em outras ações, como quando protestaram contra a construção das usinas hidrelétricas do rio Tapajós. Já Lia, por sua vez, não sabia de nada.

Nico era um sujeito de raras aparições, mas seu semblante ficava gravado nas mentes daqueles que com ele tinham algum contato. Havia chegado o momento de encará-lo, e aquilo era assustador.

Ali, amarrados uns aos outros, João Caetano, Lia, Osvaldo e Yara assistiam inertes à cena dos homens de Nico espalhando gasolina e ateando fogo na casa que, até então, havia sido a sede da ONG. O mais aterrador, contudo, era ver o corpo de Jorge ser consumido pelas chamas, como um boneco cravado na janela estilhaçada.

Lia olhou uma única vez para aquela imagem, mas já sabia que jamais a esqueceria. Fechou os olhos para se proteger daquele horror e sequer percebeu que os colegas estavam sendo encapuzados. Por fim, um capuz também lhe cobriu a cabeça.

Dominado, o grupo é colocado na carroceria de uma picape que se desloca por uma estrada de terra estreita e esburacada no meio da floresta.

13.

Em São Paulo, Antonio tenta ligar para Lia, que não atende. Deixa então um recado em seu celular:

"Filha, depois de 38 anos de trabalho não sei o que fazer… Preciso falar com você."

Os maus pressentimentos que tomaram conta de Antonio desde que saíra enxotado do prédio onde havia trabalhado por tantos anos vieram acompanhados de uma notícia na TV que ficava permanentemente ligada na sala do apartamento.

É Jonas, seu amigo da Confraria do Sujinho, que dá a notícia em seu programa jornalístico:

— *Ainda sobre o atentado contra a sede da ONG The Legal Amazon, no Pará. Até agora não foi possível mostrar imagens do local, pois a imprensa não é bem-vinda nas redondezas. A informação preliminar é de que a casa foi incendiada e que há uma vítima fatal, identificada como Jorge*

Alves dos Santos, um dos integrantes da organização. Os demais membros foram levados pelos agressores. Nada do que está sendo dito foi confirmado oficialmente, já que a polícia não parece muito empenhada em solucionar o caso. Muitos dos que viram ou que sabem de algo estão se negando a falar. Há, contudo, grande quantidade de fake news sugerindo a possibilidade de armação da ONG, insinuando que os próprios integrantes teriam matado o colega, a fim de criar um fato negativo para a região e se tornarem vítimas.

Ao longo da transmissão da reportagem são mostrados alguns *posts* de redes sociais contendo as tais *fake news*. A reportagem retorna então para o apresentador, que, olhando diretamente para a câmera, conclui:

— *As fontes dessas fake news são as mesmas de sempre.* — E entra a vinheta do programa.

Imóvel diante da TV, Antonio demora para perceber o celular vibrando ao seu lado no sofá. O nome de Jonas ilumina a tela do aparelho. Antonio atende imediatamente.

— Por que você não me ligou antes? — cobra Antonio em desespero.

— *Não deu tempo. Tô ligando porque sabia que você devia estar assistindo. Eu sinto muito mesmo, meu amigo. Você vai precisar ser forte, mas vai dar tudo certo.* — Jonas tenta, inutilmente, acalmar Antonio. — *Eu tô indo para aí* — finaliza ele.

Em menos de uma hora, Everton, o delegado Gilberto e Jonas estão diante de Antonio em seu apartamento. Aquele não era o encontro de costume, que se dava no bar, com as novas e velhas histórias que permeavam suas conversas. Agora eram quatro amigos tensos diante de uma situação assustadoramente real e com grandes chances de um desfecho trágico.

Jonas explica que as informações levantadas até o momento mostravam que a The Legal Amazon preparava uma ação contra um grande embarque de madeira nobre para os EUA. O carregamento contava com um certificado falsificado, bem como com documentos e papéis ilegítimos, tudo feito com a participação de empresários e de alguns órgãos corruptos do governo.

— Sua filha e o grupo dela foram levados por gente poderosa — diz Jonas.

Antonio ouve tudo aquilo com um controle inimaginável. Era como se ele tivesse desenvolvido uma extraordinária capacidade de entender o cenário catastrófico e de reagir antes que alguém pensasse que seria capaz. Ele olha para Gilberto e Everton.

— Eu já entendi a gravidade da situação, e a única coisa que não posso fazer é ficar parado. Já entendi que a polícia de lá não vai fazer nada. Não posso viajar com armas, então vou precisar de sua ajuda, Gilberto, como delegado, ou da sua, Everton, com seus contatos. Preciso de alguém que possa me ajudar lá.

— Que tipo de armas? — questiona Everton.

— Todas as que forem possíveis. Você me preparou para isso. Todos aqueles anos de treinamento me prepararam para isso. Sempre torci para que esta hora nunca chegasse, mas ela chegou, e da pior maneira possível.

O grupo conhecia bem o amigo. Qualquer tentativa de demovê-lo daquela ideia seria em vão. O melhor era apoiá-lo na medida do possível, porque ele realmente estava disposto a fazer aquilo em que estava pensando.

— Não existe qualquer possibilidade de eu deixar que as coisas se resolvam por conta própria, até porque não vão. Quando mataram minha mulher, fiz um esforço absurdo, lutei comigo mesmo pra não reagir e caçar os bandidos que fizeram aquilo com ela, mas agora não. Minha filha é tudo o que restou na vida. Me ajudem. Eu tenho o dinheiro pra garantir acesso a um bom material. Preciso ir em busca de Lia e dos amigos dela. Se quiserem me manter vivo, me ajudem.

— Eu vou com você – afirma Everton.

— Não! Você me preparou, mas não vai correr esse risco. Essa questão é minha. Se eu não conseguir recuperar a Lia, não me importo com o que possa acontecer. Vou pro tudo ou nada, Everton, e você mesmo me ensinou que, quando um homem vai para o tudo ou nada, as possibilidades de dar tudo errado são grandes. Estou nessa situação e tenho consciência disso.

— Minha preocupação é você, um cara tão preparado, perder a noção do que pode ou não fazer em função do componente emocional – diz Jonas.

— Pode ser, pode ser... Prometo a vocês que vou usar toda minha capacidade, todo o equilíbrio que for possível para me manter vivo, mas isso só vai valer a pena se eu trouxer a Lia de volta. Acho que não preciso explicar a vocês como me sinto. Tantos anos de Sujinho devem ter sido o suficiente para vocês me conhecerem bem. Há chances de eu voltar? Espero que sim, mas agora preciso de ajuda. É isso o que tô pedindo, não uma análise de chances ou riscos.

A solidariedade é rápida quando se está entre amigos confiáveis que se percebem diante de alguém que não vai mudar de ideia.

Trinta e seis horas depois daquela conversa, Antonio desembarca no aeroporto de Santarém, no Pará, em plena Floresta Amazônica, com a certeza de que somente ele poderia fazer algo pela filha.

Os acontecimentos na empresa, a demissão, tudo havia desaparecido da mente de Antonio. Ele tinha foco. Tinha faro para empregar na busca por aqueles que haviam levado sua filha. A possibilidade de aquilo lhe custar a própria vida era muito concreta, mas isso não tinha qualquer peso sobre sua decisão.

Antonio iria atrás, iria conhecer a floresta da pior maneira possível, mas faria a visita tão cobrada por Lia. Agora, seria a visita da salvação. Essa era sua convicção, seu alvo. E ele era muito bom de alvo.

Assim, com esse objetivo em mente, Antonio deixa o aeroporto de Santarém em uma caminhonete alugada, capaz de enfrentar as péssimas estradas locais, e chega à casa de Sanchez, um homem de carregado sotaque espanhol, residente em uma casa à beira do rio. Sanchez é uruguaio, especialista em fornecer armamento pesado – sem fazer perguntas. Havia conhecido Everton por indicações de clientes para seu material bélico. Esse é um campo que só funciona por meio de indicações, já que ninguém se arrisca a tratar de negociações ilegais envolvendo esse tipo de armamento se não houver muita confiança envolvida entre as partes.

A visita de Antonio havia sido mediada por Everton, o que dava a Sanchez a chancela de que ele precisava para executar sua atividade ilegal.

Antonio sabia que agia fora da lei, mas ignorou o discernimento naquele momento ante à inação da polícia local, que fingia que nada acontecia. Mais uma vez, a polícia faria vista grossa para a situação, e o caso viraria mera estatística, a exemplo do que aconteceu com a morte de sua mulher. Não, ele não iria se intimidar. Tinha um objetivo e estava disposto a cumpri-lo.

— Todos os que amam armas ficam como criança aqui na minha casa. É muita variedade – diz um sorridente Sanchez.

— Eu não amo armas – responde Antonio com seu semblante sério.

— Ah, não? Então tenho um pacifista aqui na minha casa? – Sanchez dá uma gargalhada.

— Se não querer usar uma arma faz de mim um pacifista, então é isso o que sou. Treinei por toda a vida, com todos os tipos de armas, justamente para não ter que sair atirando por aí.

Sanchez tenta entender aquele papo, que, para ele, soa como maluquice. Antonio prossegue:

— A vida toda, meu medo foi que chegasse um dia como hoje. Que me obrigasse a pôr em prática tudo o que aprendi.

— Mas... – Sanchez demonstra-se um pouco preocupado com a pessoa diante de si – seu amigo Everton é um amante das armas, não?

— Sim. Ele coleciona. Gosta das marcas e dos efeitos que cada uma é capaz de causar. Eu não. Nunca tive uma arma sequer que fosse minha, apenas a da empresa em que trabalhava. Mas sempre soube usar, pois sabia que um dia talvez estivesse num fogo cruzado e precisaria sobreviver. Nunca incentivei minha filha nem ninguém a usar nenhuma arma. Se um dia isso fosse necessário, quem iria para o sacrifício seria eu. Aqui estou.

Sanchez balança a cabeça, como se estivesse diante de um ser estranho. Pergunta-se internamente se Antonio iria realmente querer alguma coisa.

Sem mais delongas, Antonio começa a selecionar uma grande quantidade de armamentos. Pistolas, rifle, faca, muita munição e um colete à prova de balas. Analisa cada um como um grande perito, deixando Sanchez perdido. O assunto entre os dois se encerra. Antonio se limita a pedir uma sacola grande para acondicionar tudo o que havia escolhido, um verdadeiro arsenal. Entrega uma vultosa quantidade de dinheiro ao uruguaio, que sorri ao ver os maços de notas.

– Você é o cliente mais estranho que já atendi, não nego. Mas pode contar comigo sempre que precisar. Aqui nesta região é sempre bom ter alguém em quem confiar, e você pode confiar em mim.

Antonio põe a mão sobre o ombro de Sanchez.

– Desculpe se pareci estranho para você, mas essa é a verdade. Só estou mexendo com isso tudo porque é a vida da minha filha que está em jogo, senão não o faria. Já tive essa oportunidade no passado e não fiz. Hoje não tenho escolha. Mas obrigado pelo seu apoio.

Ao terminar a frase, Antonio se dirige à caminhonete estacionada em frente à humilde casa de Sanchez. Ele se volta para o vendedor, parado à porta.

– Sabe dizer se existe um hotel de confiança por essas bandas? Algum que não tenha ligação com… com quem domina por aqui?

Sanchez sinaliza positivamente e repassa um nome para Antonio. É um hotel muito simples, cujo dono é amigo de Sanchez. Um local "limpo" de influências da bandidagem da região.

– Não comprometido com ninguém? – pergunta Antonio.

– Olha, "ninguém" talvez seja um pouco de exagero, mas é dos mais confiáveis. Mas eu dormiria com uma pistola embaixo do travesseiro, só por garantia.

Antonio assente com um gesto de cabeça e dá um breve sorriso pela primeira vez. A informação de Sanchez era um prenúncio do que estava por vir.

– Dormir com um olho fechado e outro aberto. Entendi – diz Antonio.

As pessoas que dormem desse jeito descansam menos, mas demoram mais para chegar ao descanso eterno.

Desse modo, após o diálogo insólito, Antonio chega ao pequeno prédio de três andares onde fica o hotel indicado por Sanchez, estacionando a caminhonete nos fundos do edifício. O porteiro parece já entender o procedimento e nada diz a respeito. Ele olha para ambas as sacolas, uma imensa e a outra menor. Não era difícil imaginar qual conteria roupas e qual não.

No quarto, Antonio arranca o fundo de um roupeiro e ali deposita as armas. Com uma furadeira tirada da mala de roupas, que fora despachada no voo, recoloca o fundo. A segurança não é total, mas dá para o gasto. É hora de partir para a ação.

14.

Antonio, sempre precavido, sai do hotel e olha à sua volta. Ele entra na caminhonete alugada e parte em direção a Alter do Chão, onde ficava a sede da The Legal Amazon. Percorre os poucos quilômetros de uma estrada surpreendentemente boa. Confere o celular, em cuja tela há um ponto marcado. É a sede da ONG – o que havia restado dela.

Antonio passa pela cidade e chega aos destroços da instituição. É uma zona afastada de tudo, que já avança floresta adentro. Ele passa um tempo na caminhonete, observando o local. Não há como não sentir uma imensa tristeza e uma sensação de solidão, pois sua experiência, seu treinamento e sua preparação haviam lhe dado a capacidade de avaliar situações de maneira realista, sem alimentar ilusões. Por isso, o otimismo é quase ausente.

Haviam levado o grupo e assassinado um dos membros com extrema violência. A grana envolvida nisso era certamente altíssima, e a região era infestada por esse tipo de gente avessa a qualquer legalidade. Para completar aquele pesadelo, havia ainda um questionamento atormentador: quem deixaria testemunhas vivas? É uma corrida contra o tempo, e Antonio está ciente disso. Corpos de integrantes de uma ONG tão importante seriam algo inconveniente, e o caminho natural a seguir seria que se livrassem de qualquer evidência.

Antonio cria coragem e desce da caminhonete, fazendo o possível para manter a racionalidade acima das emoções, e começa a caminhar por entre os escombros. Tudo fora destruído pelo fogo. Permaneciam de pé apenas pequenas partes da estrutura do que outrora fora a casa que abrigava a ONG. Anda com cuidado, conduzindo aquela investigação – e ele tinha ciência disso – fadada ao fracasso. Busca com atenção por qualquer indício que levasse à localização do grupo de criminosos. Qualquer coisa que fizesse algum sentido. "Algo sempre fica para trás", era essa a máxima repetida nos treinamentos. Mas onde? O quê?

A resposta emergiu do meio das cinzas e, para a total surpresa e apreensão de Antonio, veio na forma de uma pequena placa de metal com dois cães brigando frente a frente. O símbolo do Grupo Souza e Silva. "Que diabos isso está fazendo aqui?"

Antonio demora a crer em seus próprios olhos. Aquilo não fazia sentido, mas também não podia ser desprezado. Nada ali poderia ser desprezado.

Após a descoberta, o olhar treinado de Antonio fica completamente prejudicado. O fator emocional passa a ganhar vantagem na guerra interna. Ele podia esperar tudo, menos aquilo que acabara de descobrir. Sua cabeça gira a ponto de ele olhar várias vezes a plaquinha à espera de que seus olhos revelassem um mal-entendido.

Mas não... Seus olhos não o enganaram. A situação escalava para uma complexidade ainda maior. Qual seria a ligação entre o que havia acontecido e sua própria vida? Não existem coincidências. O símbolo era claro. Talvez a única coisa concreta que ainda restava do grupo empresarial ao qual Antonio servira por décadas. O que aquela insígnia fazia ali, em meio às cinzas, junto aos restos de um crime? Qual seria a ligação? Deveria haver uma, claro, mas qual? Teria ele viajado milhares de quilômetros apenas para se deparar com aquela sina? Seria tudo um sonho? Um pesadelo?

A noite chega. É hora de prosseguir e buscar alguma informação que pudesse esclarecer aquele momento de tormento e devaneio. O lado racional precisava assumir as rédeas novamente. O emocional apenas o deixaria ali, em meio às cinzas, dissolvido pela constatação da perversidade humana.

Seres considerados humanos estavam por trás daquilo, e ele precisava encontrá-los.

O primeiro passo seria andar por Alter do Chão e ver se alguma coisa ligava os malditos cães do símbolo aos verdadeiros cães, os responsáveis por aquela desgraça. Antonio andou e andou, mas nada lhe chamou a atenção.

Ele decide seguir uma dica de Sanchez e visitar um boteco em Santarém, sabidamente frequentado por pessoas de fama duvidosa, várias delas ligadas a atividades clandestinas – dentre as quais muitos clientes de Sanchez. A ética do uruguaio não lhe permitia revelar nada além do nome do lugar. Teria que ser o suficiente.

Antonio se aproxima do balcão do bar e pede uma cerveja. Todos estão olhando para ele e, apesar de não ter olhos na nuca, ele sabe disso. Sorve um gole da cerveja quente e sente o líquido incômodo percorrer a garganta.

— Tivemos muita falta de luz ultimamente. Desculpe se a temperatura não está boa — justifica-se o atendente.

— Está boa — responde laconicamente Antonio.

— Pra quem é do Sul ou Sudeste, a cerveja é sempre mais gelada. O senhor é de onde?

Antonio não responde. Apenas mostra a pequena placa de metal com os dois cães, aproximando-a do rosto do atendente, que, visivelmente assustado, desconversa:

— Eu não sei do que se trata isso aí não...

Um homem se aproxima de Antonio, olhando na direção da plaquinha de metal. Antonio fecha a mão, escondendo a placa em seu interior.

— O que você quer saber? — pergunta o homem, com um carregado sotaque italiano.

— Você responde por ele? — questiona Antonio, referindo-se ao atendente.

— Respondo por ele, por mim, por toda essa cidade. Por quê? Se você tem dúvidas, estou aqui para esclarecer.

O homem é Nico, o responsável pela ação contra a ONG. Antonio percebe que há mais três outros homens ocupando mesas diferentes do estabelecimento. Estão olhando para ele. Não seria necessário um treinamento no Mossad para notar que suas posições são estratégicas.

— Devolve isso aí... Por favor... — solicita Nico, apontando para a pequena placa de metal.

A educação de Nico contrasta com sua feição. Ele parece um personagem dublado. Sua fala mansa não combina com o olhar que esconde um homem perverso, cínico e capaz de qualquer coisa. Pelo menos essa é a percepção de Antonio, que sabe que não deve sequer piscar. Ali, ele seria um alvo fácil, e qualquer ação poderia ter um resultado catastrófico.

Ainda encarando Nico, evitando olhar para os lados, Antonio guarda o pequeno objeto de metal no bolso. Nico fica surpreso com aquela atitude, observando Antonio por um segundo. Lentamente, em um gesto estudado, move a mão para a parte de trás das costas.

– Parece que esse pedaço de lata é muito valioso para você. Vem comigo… Me explica melhor esse valor "sentimental".

Ao terminar de falar, Nico começa a se movimentar, certo de que Antonio não encararia uma situação daquelas, totalmente visado e em pleno terreno inimigo.

Antonio, contudo, não pensa assim. Ele se movimenta como se fosse acompanhar Nico e, em um gesto ligeiro, corre em direção ao interior do bar, surpreendendo a todos.

Passados não mais que dois segundos, Nico e os outros três correm atrás de Antonio, cujo fator surpresa lhe rendera alguns instantes preciosos que lhe permitiram desaparecer bar adentro. Antes que Nico e seus comparsas pudessem pular o balcão, Antonio já havia chegado até a cozinha do boteco. Ele olha à sua volta e avista uma pequena escada de madeira que leva até o sótão. Começa a subir pela escada, mesmo sem imaginar onde ela daria. Antonio percebe que, diante da situação, qualquer lugar seria melhor do que ficar perante Nico e três homens armados.

Nico e os outros chegam à cozinha e passam um tempo tentando se localizar. Dão-se conta da escada e também sobem por ela.

Ao alcançar o telhado, Nico é o primeiro a perceber que Antonio já está sobre o telhado da casa vizinha. Os capangas de Nico atiram, mas é impossível acertar o alvo àquela distância. Começam a correr e a saltar de telhado em telhado em uma busca frenética por entre obstáculos difíceis de serem transpostos. Antonio revida atirando a esmo, buscando ganhar distância e retardar a movimentação do grupo de Nico.

Antonio segue em uma sequência arriscada, saltando aflitivamente de telhado em telhado pelas casas velhas da cidade. O que era previsível acontece: ele escorrega. Seus pés pisam em uma telha solta, e seu corpo é impulsionado para baixo, em direção à rua. As mãos tentam desesperadamente encontrar algum ponto firme capaz de mantê-lo naquele telhado. Ao mesmo tempo, cai sobre ele uma saraivada de tiros que atingem outras telhas, aparentemente firmes, mas longe de constituírem um porto seguro. Sua única esperança é uma calha afixada à parede.

Antonio, com muita dificuldade, consegue voltar para o telhado. Mas o que seria sua salvação momentânea é também o espaço para que a distância entre ele e o grupo que o persegue diminua perigosamente.

"Por que não acontece o mesmo com eles?", pergunta-se Antonio inconformado, em um momento em que se inconformar não tem valor algum.

Antonio é um alvo fácil. Dispara mais alguns tiros em direção ao grupo, mas sem qualquer certeza de direção, apenas como uma reação natural de fuga.

Para completar, termina a sequência de casas em que a perseguição insana acontece. Antonio chega a uma esquina. Não há mais para onde escapar. Olha para trás e percebe que seus perseguidores estão cada vez mais próximos. Já não atiram, pois sabem que sua presa está encurralada. É só uma questão de tempo para que tudo se resolva (do jeito deles).

Antonio olha para a rua e novamente para o grupo, que se prepara para mais uma onda de tiros, agora mais precisa, um golpe final. Ele sabe que até poderia sobreviver a uma queda daquela altura, mas que dificilmente conseguiria levantar-se e sair correndo sem ser atingido por Nico e seu grupo.

Nesse momento, aproxima-se um caminhão-baú, daqueles de mudança. A solução que se apresenta pode não ser das melhores, mas naquela circunstância é como se fosse uma dádiva. Antonio não hesita e se atira sobre o caminhão. A manobra é arriscada, mas o impacto é bem menor do que o de uma queda no chão. O alvo em movimento também é uma segurança diante do que viria a seguir.

Nico e seus capangas chegam até a beira dos telhados e avistam Antonio se afastando sobre a carroceria do caminhão-baú, que dobra a esquina. Nico guarda sua arma lentamente. Ninguém comenta nada. Todos conhecem a personalidade explosiva do chefe. Agindo como se nada tivesse acontecido, retornam ao ponto de partida, espantados por terem corrido em meio a todas aquelas telhas soltas sem se darem conta do perigo de despencar dali.

A essa altura, já não é possível ver Antonio. "Mas isso é só uma questão de tempo", pensa Nico.

15.

De volta ao hotel, após apagar por algumas horas, Antonio acorda com alguém batendo à sua porta. Já não tem noção de quanto tempo se passou. Salta da cama com a arma em mãos, seguindo o conselho de Sanchez.

Abre a porta lentamente, e diante de si aparece um rapaz de traços indígenas. Ele veste uma camisa branca sem estampas e uma calça jeans. Logo se dirige ao homem recém-desperto:

– Você é Antonio? Meu nome é Vicente. Fiquei sabendo que sua filha foi sequestrada...

– O que você sabe sobre a minha filha? – interrompe Antonio, deixando o rapaz visivelmente intimidado.

– Acho que ela está com meus irmãos! Eles foram sequestrados com ela! – justifica Vicente.

Antonio observa se há alguém no corredor e convida Vicente para entrar, fechando a porta atrás de si. As informações trazidas pelo rapaz são bastante claras e parecem convincentes, mas Antonio era treinado para não se deixar levar pelas aparências. Assim, por mais que quisesse acreditar nas palavras valiosas de Vicente, mantinha sua cautela. Afinal, era muito estranho aquele jovem ter surgido ali tão de repente, oferecendo de bandeja detalhes tão úteis.

— Vim atrás do senhor — continuou Vicente — porque conhecia a sua filha, e ela costumava dizer que, se alguma coisa acontecesse com ela, o senhor viria para ajudar.

Ouvir aquilo era tão estranho quanto recompensador.

— E como foi que você me achou?

— Sou amigo do pessoal do hotel.

Realmente, aquele lugar não oferecia segurança alguma. Antonio era um alvo permanente. Mas era tudo o que havia naquele momento. Os dois continuam a conversar, e Vicente revela mais detalhes sobre o grupo liderado por Nico. Ao mostrar a pequena placa de metal com os dois cães, Vicente diz que aquele símbolo era pregado em cada tora de madeira comercializada na região. "Uma espécie de certificado de origem", segundo ele.

— Até na criminalidade a procedência tem valor, senhor Antonio. Eles são um grupo grande de São Paulo, e os gringos que compram essa madeira sabem o quanto é importante negociar com gente grande — explica Vicente.

— Mesmo que totalmente ilegal? — questiona Antonio sem acreditar no que está ouvindo.

— Bem, existem os ilegais "chinelos" e os ilegais poderosos. Os americanos preferem os poderosos, lógico. Menos risco. São esses que conseguem comprar as autoridades, enquanto os chinelos falsificam notas e assinaturas. Eles pagam mais caro, mas têm tranquilidade.

– Essa empresa dos dois cães representa a tranquilidade?

Vicente concorda, e esse gesto afirmativo diante da pergunta de Antonio o atinge como um soco, uma punhalada na cabeça, um tiro. Tal informação põe por terra tudo aquilo em que ele havia sempre acreditado. Por mais que tivesse saído da empresa de uma maneira absolutamente escrota, Antonio atribuía isso a Marcelo e sua visão de mundo. Mas agora ele sabia que estava diante de uma organização criminosa. Seus patrões estavam envolvidos na exportação da carga ilegal de ipê para os Estados Unidos.

– E por que isso estava lá na ONG? Não havia madeira lá – argumenta Antonio.

– Quando essa empresa chegou para investir no comércio ilegal de madeira, passou a utilizar essas *tags* para profissionalizar a ação que vinha pela frente. Coisa gigante, como falei pro senhor. Os madeireiros gostaram tanto que passaram a utilizar como adereços em cintos, jaquetas, botas. Um deles deve ter perdido. Essa empresa é novidade por aqui. Vieram com muita grana e influência.

Antonio tenta manter o equilíbrio e digerir a informação. Vicente conta a ele que era visado pelo grupo de Nico. Ele e os irmãos haviam denunciado o que iria acontecer com os povos da floresta com a construção das hidrelétricas ao longo do rio Tapajós. Com isso, passaram a ser perseguidos. Explicou, contudo, que o grupo de Nico trabalhava especificamente para os madeireiros. "Esses de São Paulo."

Vicente percebe o efeito que a insígnia dos cães exerce sobre Antonio.

– Eu não sabia que isso tinha algo a ver com o...

– Grupo Souza e Silva – completa Antonio.

— O senhor conhece então?

— Sim — responde Antonio secamente.

Vicente muda o tom de sua fala e tenta desconversar:

— O senhor deveria conhecer nossa aldeia. Posso levá-lo, se quiser...

— Quero, sim. Estou em busca de qualquer informação que possa me levar até minha filha. — Antonio faz uma pausa e retoma: — E seus irmãos também.

— Pois então vá até Alter do Chão e siga a margem do Tapajós em direção ao norte. Nos encontramos uns quatro quilômetros rio acima. Daí o senhor deixa a caminhonete e eu te busco de canoa.

Antonio olha por algum tempo para Vicente e concorda. Alguma coisa lhe incomoda nisso tudo. Estava fácil demais. Mas talvez fosse apenas impressão, a confusão dos sentimentos pelo que acabara de descobrir. Seus patrões eram um grupo desprovido de emoções, mas afundado na criminalidade.

Vicente então vai embora, e Antonio permanece sentado na cama, pensando sobre tudo aquilo. Após alguns minutos, decide partir para a vida real e prática. Entra em contato com Jonas, o amigo jornalista, e pergunta o que ele sabe sobre o envolvimento do Grupo Souza e Silva com o negócio ilegal de madeira. Jonas revela não saber de nada, mas se compromete a procurar Henrique imediatamente.

Nessa mesma tarde, Jonas e Henrique se encontram em São Paulo. Henrique jura que nunca investira em madeira, tampouco ilegal. Aquele não era o escopo do grupo.

— Jamais faríamos algo como o que está sendo noticiado – diz ele ao ser questionado sobre o atentado contra a ONG.

— Somos amigos há tantos anos... Por isso vou me permitir fazer uma pergunta direta e espero que não se ofenda – diz Jonas para Henrique. – Você diz não saber de nada, e acredito na sua palavra. Mas e o Marcelo? Ele não faria?

Henrique titubeou, sem saber o que responder.

Era de certo modo constrangedor assistir a um homem outrora tão poderoso quanto Henrique, dono de um verdadeiro império, diante do dilema de não conseguir defender seu herdeiro, seu sucessor, seu filho. O silêncio de Henrique frente à pergunta de Jonas era mais ensurdecedor do que um grito. Ele sabia que o filho seria plenamente capaz de um absurdo como aquele. Deparar-se com essa possibilidade, ainda mais daquela maneira, derrubaria qualquer pessoa. Nenhuma palavra se fazia necessária.

Terminado o encontro, Jonas liga para Antonio e conta sua impressão sobre o ocorrido. Para ele, Marcelo está sim envolvido, e Henrique precisaria encarar os fatos até achar uma maneira de corrigir os descaminhos tomados pela empresa. Antonio sente um estranho alívio ao perceber que, aparentemente, o chefe não era o monstro que ele temia.

A milhares de quilômetros dali, na sede do grupo, em São Paulo, Henrique adentra a sala da presidência. Ele olha para o filho e põe as cartas na mesa:

— Que diabos você está fazendo na Amazônia? Que absurdo é esse?

– O que quer que eu esteja fazendo, é problema meu. Eu estou no comando agora, não devo qualquer explicação a você – responde Marcelo com um sorriso irônico.

Henrique dá um tapa no rosto do filho.

– Errei muito na sua criação. Errei feio – lamenta-se.

É o momento mais tenso da relação dos dois em toda a vida. Henrique fica chocado ao perceber o quanto o filho parece não entender a gravidade de seus atos.

– Grandes grupos vão à falência quando a sucessão familiar é mais forte que a profissional. Você está nos levando para esse caminho. Preciso pensar. Preciso pensar... – diz Henrique indo rumo à porta, diante de um Marcelo impactado e perdido com o que acabou de acontecer.

Marcelo podia ser ousado, mas sempre tivera personalidade fraca. Apesar da segurança apresentada diante do pai, estava apavorado por dentro. Mas sabia que não havia o que fazer. Fora descoberto e agora precisava ir até o fim.

16.

Antonio chega até a margem do rio Tapajós. Vicente está à sua espera em uma pequena canoa. Ele embarca. Está anoitecendo. O deslocamento é silencioso.

Antonio olha para o céu, e uma estranha sensação de paz toma conta de si. Ele respira profundamente, a fim de sobreviver à cachoeira de adrenalina que tem acometido seu corpo nos últimos dias: a demissão humilhante, a ausência da filha e, por fim, o sequestro.

"O que leva o ser humano a transformar um paraíso como este em uma praça de guerra?", divaga Antonio em um sentimento quase adolescente. Aquele lugar de extrema beleza, onde ainda era possível ver a aura do sol que se pusera pouco tempo antes. As aves atravessavam de um lado para outro, como a recordação de um mundo que ainda resiste, apesar do crime, do ódio, da corrupção, do ser humano.

Chegam a uma aldeia Munduruku, onde uma fogueira arde ao centro em meio a construções cobertas de palha. Antonio já tinha visto aquele lugar, mas somente nas fotos que Lia havia mandado. Ao vivo, no entanto, tudo tinha uma grandiosidade impossível de ser captada por uma câmera de celular.

Antonio observa, enquanto sua mente não consegue parar de pensar sobre as diferenças entre o mundo em que ele sempre vivera, cercado de gente, prédios e ruídos, e aquele mundo que via diante de si, naquele lugar surreal que desafiava sua compreensão. Era ali onde a filha havia decidido construir sua vida. Era ali onde Lia havia decidido lutar pelo que acreditava.

Aquele era o povo dela, e Antonio mal sabia sobre sua existência. Sentiu certa vergonha por jamais ter visitado aquele lugar, por não ter ido até lá antes, conforme a filha tanto insistia. Por que não mandou "aquela família" à merda e foi passar uns dias com a filha? Que surpresa ela teria para ele? Sim, ela havia dito, na ocasião de seu último aniversário, que ele iria gostar muito do que ela iria contar – ou mostrar, não se recordava bem.

Antonio olha ao redor e vê crianças, idosos, mulheres. Todos sorriem para ele. As crianças se aproximam e saem correndo, brincando de fugir dele. Sorri para os pequenos, que retribuem.

Vicente apresenta Antonio ao cacique, pai dele, de Osvaldo e de Yara.

– Osvaldo e Yara sabiam do perigo que corriam, mas tenho orgulho dos meus filhos. O mesmo orgulho que eles sempre tiveram: a força do guerreiro formiga vermelha.

Antonio olha para Vicente quando o cacique diz "formiga vermelha", em busca de algum entendimento. Vicente explica que os Munduruku são chamados de formiga vermelha por causa da maneira como atacavam seus inimigos, em grupo e rapidamente, tal qual as formigas vermelhas.

O cacique olha para Antonio e diz que o pai de Lia é bem-vindo. Fala como se a conhecesse muito bem. Antonio não consegue esconder a surpresa e, pelo instinto da profissão, percebe que Vicente fica um tanto nervoso quando o cacique menciona o nome de Lia.

– O rio é o berço de tudo. O planeta se alimenta da água. O mundo precisa da floresta que o homem branco está destruindo mais do que nunca – discursa o cacique.

Antonio está atento àquelas palavras, mas presta ainda mais atenção às expressões de Vicente, visivelmente alteradas diante da simples menção ao nome da garota.

Antonio, que desconfiou da facilidade com que a situação se desenrolou a partir do momento que Vicente bateu à sua porta cheio de informações relevantes, tinha agora um motivo a mais para achar aquilo muito estranho. Por experiência, ele sabia que nenhuma facilidade era gratuita.

– E onde é que a gente poderia encontrar alguma pista mais concreta? Imaginei que seria aqui na aldeia, mas... – Ele deixa suas palavras em suspensão, para ver o que volta.

– É, eu queria que você conhecesse meu pai. Mas, como você pôde ver, ele é bastante lúdico, fala muito sobre a natureza, sobre o homem, mas aqui realmente não teremos pistas concretas.

– E onde teremos? – questiona Antonio, impaciente.

– O grupo do Nico deve ter levado eles para a mata. Não estão no acampamento, disso tenho certeza.

Antonio deixa de lado o diálogo protocolar e parte para uma pergunta mais objetiva:

– Que acampamento?

Vicente não se afeta com a objetividade de Antonio. E, como se já esperasse a pergunta, tinha uma resposta na ponta da língua:

– É onde Nico e o grupo dele vivem.

– Isso é... – Antonio faz uma pausa diante da informação relevante – isso é conhecido? O local do acampamento?

Vicente sorri como se tivesse ouvido uma obviedade.

— Todos por aqui sabem onde é, mas ninguém vai até lá, pois é um local fortemente protegido. Não adianta nada saber onde é se ninguém pode ir.

Antonio faz uma nova pausa para processar a informação. Novamente, tudo muito fácil. Alguma coisa estava contrariando a lógica nessas últimas horas desde que Vicente aparecera.

— Eu vou. Vou amanhã — diz Antonio decidido.

Vicente faz um gesto indicando sua contrariedade, mas desiste.

— Eu já imaginava, por isso ainda não tinha te passado essa informação. Se eu puder ajudar em alguma coisa...

Antonio olha para Vicente, tentando decifrá-lo. Novamente, muito solícito. Mas aí uma frase deu mais sentido à "bondade" de Vicente:

— Meus irmãos estão nas mãos dele, mas nem eu nem ninguém aqui tivemos coragem de ir atrás e enfrentar esse grupo. No fundo, minha esperança era que você fizesse isso, mas não consegui propor, porque acho muito perigoso e... se eu não vou, por que pediria a você que fosse? Eu posso conseguir um mapa, dar todas as informações, só não vou junto.

Essa foi a frase de Vicente que mais fizera sentido para Antonio até o momento. Ele tinha medo, claro, e encontrou um jeito de convencer Antonio a partir nessa empreitada em seu lugar. Aquilo era honesto? Quem poderia dizer que não? Era covarde, certamente, mas e daí? Antonio tinha coragem e estava disposto a ir até as últimas consequências. Ele agradece a ajuda de Vicente e se apressa a ir embora:

— Vou de qualquer jeito, mesmo que estejam protegidos e armados. Vou amanhã de manhã e à tarde lhe trago notícias. — Faz uma pausa. — Assim espero.

Termina de falar com Vicente já embarcando na canoa. Vicente, em silêncio, embarca também, e começa o deslocamento pelo rio. Na margem, o cacique observa os dois se afastando.

17.

Ao chegar a Santarém, no hotel, na mesma noite, Antonio remove o fundo falso do roupeiro. Veste um colete à prova de balas, duas facas acopladas aos tornozelos e um cinto com pentes de munição ao redor do corpo. Pega o rifle e mais duas pistolas e os acomoda ao corpo. Mais do que armas, Antonio está tomado pelo desejo de ir ao encontro de Lia e seus companheiros. Testa sua mobilidade e faz alguns ajustes para poder se movimentar melhor com toda aquela carga agregada ao seu corpo.

Nos fundos do hotel, ele se dirige até a caminhonete. Sai por uma porta lateral do corredor, evitando, assim, ser visto pelo rapaz da recepção. Segue rumo a Alter do Chão.

Antonio atravessa a cidade em sua caminhonete por uma estrada em meio à floresta. Estaciona durante algum tempo e observa o GPS para conferir as coordenadas que transferiu do mapa fornecido por Vicente. A noite cobre toda a floresta, deixando tudo um breu. Antonio toma o cuidado de desligar os faróis sempre que para o veículo a fim de conferir o GPS, posicionado sobre o painel, evitando que a luz da pequena tela possa ser vista.

Não há dúvida, ele está muito próximo do acampamento. Manobra a caminhonete na estrada estreita e a deixa no sentido contrário ao que vinha, pronta para a fuga – caso o destino assim permitisse.

Com o motor desligado, Antonio mantém-se imóvel durante um tempo, a fim de captar algum ruído além dos sons da floresta. Desce carregando seu armamento, evitando fazer barulho. Até pisar nos galhos ele faz com cuidado.

Caminha vagarosamente pela floresta. Até que ouve, vindo de longe, sons de risada e música. Está completamente escuro. Às vezes, Antonio liga a lanterna por alguns momentos, tentando se localizar melhor, mas a desliga logo em seguida.

Aproxima-se do acampamento dos madeireiros. Protegido pela vegetação, ele consegue observar dois tratores, uma retroescavadeira e três caminhões de transporte de toras. No caminho, ao lado da pequena estrada de acesso, surge um exíguo ponto de iluminação em meio ao breu. É um homem que acaba de acender um cigarro. Antonio observa que o homem tem um rifle ao seu lado, recostado sobre a perna.

É um segurança cumprindo seu turno.

Antonio larga o próprio rifle ao chão e aproxima-se sorrateiramente. Percebe que o homem está utilizando fones de ouvido e ouve música em volume suficientemente alto para não perceber a aproximação.

Antonio golpeia a traqueia do segurança, que cai desmaiado, e avança acampamento adentro. Um dos madeireiros dobra o canto do galpão e dá de cara com ele, que, instintivamente, atira o punhal, acertando em cheio o pescoço do sujeito. Avança mais alguns metros e avista Nico sentado em uma cadeira de camping, bebendo e rindo. Está jogando algum tipo de jogo de cartas com mais dois comparsas.

Antonio redobra o cuidado e entra no galpão do dormitório. Traz sua pistola em mão e aponta para as camas à espera de que alguém surja dali para emboscá-lo. Mas não há ninguém: todos estão no pátio. A seguir, alcança um grande tanque de combustível situado na porta oposta àquela pela qual havia entrado.

Nesse momento, dois homens olham para ele e tentam sacar suas armas, mas a adrenalina correndo pelo sangue de Antonio faz toda a diferença. Sem tempo de reagir, ambos são pegos de surpresa. Antonio dá um golpe em cada um, derrubando-os. A seguir, crava-lhes estrategicamente o punhal no pescoço, um após o outro, sem emitir um som sequer.

Ao sair pela outra porta do galpão, Antonio avista um dos homens de Nico preparando um baseado, completamente distraído. Ele chega por trás e encosta o punhal no pescoço do homem.

– Nem pense em fazer barulho. Nem respire. Responde sussurrando como eu, entendeu? Me fala, vai, onde está o grupo?

– Q… que grupo? – sussurra assustado o homem.

– O que vocês sequestraram. Você sabe do que eu tô falando.

– Eu… Eu não sei…

Antonio pressiona o punhal com mais força sobre a pele do pescoço do homem, que geme de dor e medo.

– Tem dois filhos da puta, parceiros seus, mortos ali no canto do galpão. Sabe como eles morreram? Com este punhal!

Antes que o homem consiga dizer alguma coisa, Nico surge na frente de Antonio. Um aponta a arma para o outro. Antonio troca o punhal de mão e pega a pistola com a outra, apontando para Nico. O punhal continua na garganta do homem, que agora lhe serve de escudo humano.

– Pensei que você só vinha amanhã de manhã – diz Nico com sua calma habitual.

Ao terminar a frase, Nico dispara, acertando a testa do comparsa que estava sob o domínio de Antonio. Ele o faz sem qualquer cerimônia, deixando Antonio atônito. Utilizando-se do corpo inerte como escudo, atira em Nico, que consegue saltar contra uma parede e sair do alcance da mira.

Ciente de que será cercado, Antonio corre atravessando o pátio em direção à saída. Nico ressurge, agora acompanhado de mais cinco homens. Todos atiram ao mesmo tempo, e Antonio é alvejado. Ainda que protegido pelo colete à prova de balas, o impacto faz com que ele caia no chão empoeirado do acampamento.

Ainda no chão, Antonio vira-se na direção de Nico e seu bando, que se aproximam dele com as armas em punho, preparados para a saraivada de balas derradeira. No entanto, Antonio conta com a proteção de um refletor disposto em um poste direcionado para os olhos dos membros do grupo, uma vantagem mínima diante da situação caótica. Percebe também que a nuvem de poeira levantada por toda aquela movimentação é um ponto a seu favor.

Em vez de atirar inutilmente contra os seis que se aproximam, Antonio pega o rifle e dispara contra o tanque de combustível situado atrás de Nico e seu grupo. No segundo tiro, uma enorme explosão arremessa todos ao chão. Um caminhão que estava ao lado também explode, incendiando-se em seguida. Uma nuvem de poeira cobre o ar. O fogo invade o galpão também.

Quando Nico, caído no solo, levanta o rosto completamente coberto de poeira, dá-se conta de que Antonio já não está mais ali. Levanta-se com dificuldade, baqueado pelo impacto, e corre como pode em direção à estrada. O fogo toma conta de todo o acampamento, desnorteando Nico e seu bando por alguns minutos.

Antonio corre em disparada pela estrada no meio da floresta. A caminhonete não está longe dali e já está preparada para a fuga. Contudo, ele precisa controlar a dor que o acomete em decorrência do impacto dos projéteis no colete e contar com a desorientação causada nos bandidos pela fumaça e pela poeira, retardando seu senso de localização.

Assim, ele chega até a caminhonete e dá o fora dali. Pelo retrovisor, consegue ver as chamas que iluminam a floresta de um modo assustador. O estrago é imenso, e ainda há explosões em curso.

18.

No quarto do hotel, Antonio procura cuidar de seus ferimentos. Apesar do colete, os tiros o machucaram muito. Ele olha para a foto da filha no celular. Passa o dedo sobre a tela e vê vários vídeos de Lia. Mas não há tempo para lembranças. Fazia aquilo talvez como uma maneira de recarregar as energias tão combalidas. Com dificuldade, começa a desmontar o fundo falso do roupeiro e a colocar o restante de seu arsenal na sacola.

Antonio sai pelos fundos do hotel e vai à casa de Sanchez. O uruguaio fica impressionado com o relato, tecendo comentários como "você nasceu de novo" e "viu só, meu equipamento é bom mesmo". Ele analisa o estado deplorável em que se encontra o colete à prova de balas, todo amassado pela saraivada de tiros recebida.

– Certamente vou precisar de um novo – diz Antonio – E... me desculpe pedir isso, mas não tenho mais a quem recorrer. Preciso ficar em sua casa durante um tempo.

Sanchez ri, respondendo de maneira hesitante:

– Você põe não apenas meus equipamentos à prova, mas também minha coragem.

– É perigoso, eu sei. Mas você está longe de parecer alguém desacostumado ao perigo.

– Sim, você tá certo. Pode ficar. Tudo por um bom cliente.

– Larguei algumas coisas no hotel, para despistar. Mas não acho que vão se deixar enganar por muito tempo – revela Antonio.

– Tem um quarto logo ali, perto do galpão onde mantenho meu arsenal. Qualquer emergência, pelo menos você tá perto do equipamento – continua Sanchez, tentando manter o bom humor.

– Obrigado, Sanchez. Posso contar com pouquíssimas pessoas neste momento.

– *Acá hay una!* – assente o uruguaio fazendo mesuras.

Antonio agradece imitando o gesto.

– Um cliente morto é um cliente a menos. Então, conte comigo para manter a sua vida até quando der.

– É um ditado bastante animador – diz Antonio sorrindo pela primeira vez.

– Quer saber? Pro inferno com esse Nico! Se tirar essa desgraça da face da Terra, será um alívio pra mim e pra muita gente.

– Ele nunca comprou nada com você? – questiona Antonio.

– Não. Ele tem um fornecedor da Colômbia. Um cara que fura o mercado.

Fica clara para Antonio a origem do ódio de Sanchez. É, de fato, um mundo muito diferente.

Os dois homens caminham pelo pátio dos fundos da casa de madeira, junto ao rio. O casebre oferecido por Sanchez é um quarto com três metros de largura por quatro de comprimento. Antonio entra e se dirige até a janela para verificar o que conseguiria avistar no caso de um ataque. Sanchez percebe o que ele está fazendo.

— Se os caras chegarem até esse ângulo, é porque já me mataram.

Antonio agradece a solidariedade. Sanchez continua a falar sobre o quarto:

— Seu palácio tem até um ventilador de teto novinho.

— Muito obrigado — agradece Antonio. — Mas... eu tenho mais um pedido.

Sanchez olha para ele desconfiado, imaginando o que viria a seguir.

— Trocarmos de caminhonete por alguns dias — explica Antonio.

Sanchez olha para a caminhonete nova, alugada, e para a velha dele.

— Se a sua não fosse alugada, seria um bom negócio.

— Eu sei que você não vai andar com a minha — continua Antonio —, mas pode alugar outra, que eu pago. Não posso devolver essa, porque não sei com quem mais o grupo de Nico está envolvido. Não posso arriscar.

Sanchez olha fixamente para Antonio e anui com um gesto de cabeça.

— Alugo outra para ti, mas não vou deixar você andando com a minha. Sou conhecido, você sabe.

— Obrigado. Só que precisa ser logo.

— Vou até o aeroporto agora e pego uma pra você.

— Diga que a sua está estragada. Sabe como é... É bom ter uma história na manga caso alguém lá esteja ligado. Ah, e mais um favor... Pelo amor de Deus, me compra uma escova de dentes!

Nesse mesmo momento, o quarto de Antonio no hotel é invadido por Nico e mais três capangas. Eles reviram tudo, até que encontram algumas roupas dentro de uma sacola. A escova de dentes ainda está na pia do banheiro. Nico fica pensativo. Aquela cena não o convence.

– O filho da puta foi embora? – pergunta um dos comparsas.

– Foi nada – responde Nico laconicamente.

Não muito longe dali, Antonio já está com seu colete novo e reabastecido de armamentos. Ele deixa seu pequeno quarto de madeira e segue na direção da nova caminhonete alugada. O calor é infernal, como sempre, mas as vestimentas de Antonio são bastante distintas das dos demais habitantes do local. Ele veste camisa de manga comprida, calça e bota. Utiliza ainda um colete por cima daquele à prova de balas, recheado de munição.

A experiência no acampamento havia mostrado a Antonio que todo o treinamento adquirido ao longo de anos no Mossad criara sobre ele uma camada de proteção que o mantivera vivo até aquele momento. Mas por quanto tempo essa camada resistiria? O importante era agregar valor ao conhecimento que possuía, e esse valor estava distribuído ao longo de seu corpo.

Anoitece em Alter do Chão. Antonio dirige lentamente, observando as luzes dos bares da pequena cidade. Seu novo veículo, de cor e modelo muito diferentes do anterior, serve-lhe de camuflagem.

Após algum tempo, Antonio avista Vicente entrando em um bar. Pega duas pistolas e coloca o silenciador. Entra no estabelecimento com cuidado e olha à sua volta. Não vê Vicente. Dirige-se ao balcão e pergunta sobre ele.

– Não sei nada sobre esse Vicente – diz o atendente.

Antonio disfarça e mostra a pistola ao rapaz.

– Às vezes eu erro de longe. Mas daqui, tenho certeza que consigo acertar bem no meio dos seus olhos. Quer apostar?

Fica claro para o atendente que é melhor não apostar nada. Ele sinaliza com o olhar em direção ao interior do bar.

– Tem quantos caras lá com ele?

O atendente se mantém calado.

– Quer continuar com a aposta?

– Estão nos fundos. Tem mais dois com ele – sussurra o atendente o mais baixo possível.

– Armados?

– Todo mundo anda armado por aqui!

Antonio empunha uma pistola utilizando ambas as mãos. Caminha pé ante pé por um corredor de madeira que termina em uma pequena sala, de onde é possível ouvir o som de vozes e risadas. Sorrateiramente, Antonio olha pelo marco da porta e flagra Vicente cheirando uma carreira de cocaína. Analisa o ambiente e constata que de fato há mais dois homens com ele, esperando pela vez de cheirar a coca separada em carreiras sobre a mesa.

Ao verem Antonio surgindo da porta, os dois homens tentam em vão sacar suas armas, mas são atingidos na cabeça por dois tiros certeiros. Cada um despenca para um lado, fazendo formar uma imensa poça de sangue no chão, que escorre entre o velho assoalho, penetrando as frestas. Vicente, apavorado, olha para os dois homens caídos e levanta as mãos.

Uma espécie de *flash* de memória toma Antonio de assalto, exibindo o momento em que ele dissera a Vicente que iria ao acampamento no dia seguinte. Sua mente reprisa a cena com as palavras de Nico: "Pensei que você só vinha amanhã de manhã".

O olhar de Antonio para Vicente é realmente desconcertante. Seu dedo não treme ao tocar o gatilho, mostrando claramente que, se fosse acionado, Vicente não teria tempo sequer de saber o que aconteceu. Teria o mesmo fim dos dois, e seu sangue se misturaria ao deles, preenchendo as frestas do assoalho. Vicente treme.

19.

O dia amanhece às margens do rio Tapajós. Vicente encontra-se em uma situação insólita: suas pernas estão amarradas a uma árvore, enquanto seus braços estão amarrados à caminhonete de Antonio. Vicente chora de desespero, com o corpo totalmente esticado.

— Quando eu arrancar com a caminhonete, o que será que vai se romper primeiro? A corda de *nylon* ou o seu corpo?

Vicente treme como se estivesse nu em uma tempestade de neve. Já perdera há tempos o controle sobre suas ações. Sabe que Antonio tem razões de sobra para levar a cabo o que insinuava. Não consegue pronunciar uma só palavra.

Antonio segura um telefone via satélite na mão. Vicente olha para ele e para o aparelho. A dor resultante do corpo completamente espichado pela pressão da corda nos pés e nas mãos é lancinante.

– Você armou uma emboscada pra mim com aqueles filhos da puta. Traiu seus irmãos, traiu seu povo. Achou que não ia dar em nada? Ia sim. Veja sua situação agora. Será que essa corda arrebenta? Acho que não, ela não é tão frágil. Frágil é a confiança que você passa, seu merda. Você merece estar nessa situação.

Vicente consegue balbuciar sua primeira frase, um misto de fala com gruído:

– Eu não traí meu povo. Não sou... – busca ar – não sou Munduruku. Fui criado pelo cacique, mas não sou irmão de sangue do Osvaldo e da Yara.

– Ah, tadinho. Então tudo está justificado. Se não é sangue puro Munduruku, está perdoado – diz Antonio com sarcasmo.

Vicente apressa-se a buscar uma justificativa. Tenta falar rapidamente, mas percebe que Antonio não está prestando atenção.

– Não tive saída. Eu não queria fazer isso. Nem te conheço, mas sempre me dei bem com o Osvaldo e a Yara. Eu... devo muita grana pro grupo do Nico. Drogas... Sou viciado, sou doente.

Ignorando a fala apressada e descompassada de Vicente, Antonio liga a caminhonete. O pavor toma conta do rapaz, que sabe que Antonio pode arrancar com o veículo a qualquer instante. Luta para não se imaginar sendo partido ao meio, em duas partes de um corpo que ninguém jamais encontrará. Vicente é assolado por uma sensação indescritível.

– Eu preciso ir. Se você não quer informar nada, ok. Estou acostumado com gente que retém informação até a morte. Vou procurar outra pista, mas você nunca vai saber o que passei naquele acampamento. Só saí vivo porque enganei você sobre o horário, do contrário estaria fuzilado na entrada daquele lugar de merda. Deu ruim pra você, Vicente.

À medida que se aproxima da caminhonete, Vicente se desespera ainda mais, gritando algo indecifrável. Não existe em nenhum idioma uma expressão que descreva a sensação de ter pés e mãos arrancados por forças opostas.

Antonio fica parado ao lado da porta por alguns instantes. Olha da corda para Vicente, que continua aos berros. Ele desliga o motor e se aproxima do rapaz.

— Eu normalmente não faço isso, então presta atenção. É a sua última chance. Depois disso, nós vamos testar a força daquela corda ali. Eu tenho certeza de que o motor da caminhonete aguenta, já você... Deve ser muito dolorido sentir os órgãos se rompendo um a um. O que você acha? Eu te prometo, moleque, que vou fazer isso muito devagar, sem nenhuma pressa. Não vai acabar rapidinho, você vai sofrer. Para de chorar, porra!

Vicente tenta se acalmar. Faz um enorme esforço, mas mal consegue pronunciar as palavras.

— Se eu não morrer aqui... grupo do Nico... cê sabe...

— Lá você tem chance de escapar. Mas, se eu arrancar agora, você já era.

Antes que Vicente possa dizer qualquer coisa, o telefone via satélite começa a tocar. Antonio mostra a ele o visor. O nome "Nico" pisca na tela. Rapidamente, Antonio dá partida na caminhonete, levando o telefone até Vicente.

— Diz que tá tudo bem. Te controla. Senão acabou pra você agora.

Antonio coloca o telefone ao lado de Vicente, que ouve a voz furiosa de Nico.

— *Onde você se meteu, caralho? Furada a sua informação. Eu vou te matar! O cara apareceu lá de noite, acabou com o acampamento. Vou te pegar, desgraçado!*

Vicente cerra os olhos, tentando controlar a respiração.

– Calma! Eu sei! O cara foi muito esperto, mas eu pego ele, juro. Sei que tô te devendo essa.

– *Tá mesmo! Ou você nos traz o cara, ou não vai dever nada para mais ninguém. Morto não paga dívida.*

– Onde encontro vocês? Se... caso eu pegue o cara?

Há um silêncio, como se Nico tivesse percebido alguma coisa.

– *Onde você tá agora?* – pergunta Nico, mudando de tom.

– Eu... tava doidaço. Cheirei tudo o que podia. Vim pra beira do rio... tô legal, não.

– *Filho da puta! Estamos indo para o cativeiro. É hora de mudar de lugar.*

– Tá bem... – responde Vicente.

– *Venha nos encontrar, pra receber instruções. Não adianta ir atrás do cara sem planejamento* – diz Nico, finalizando a ligação.

Vicente olha para Antonio e diz, conformado:

– Eu sou um homem morto.

– Pode ser. Aqui você ainda tá respirando, então aproveita a chance. Um tiro nos miolos dói menos do que ser partido ao meio – responde Antonio.

Vicente respira fundo várias vezes.

– Não tô mais aguentando. Te levo lá, mas me solta, por favor.

– Onde fica esse cativeiro?

– Na mata, não muito longe do acampamento. Eu sei onde é.

Antonio começa a desamarrar a corda dos pés de Vicente, que desaba em um ataque de choro profundo e sincero. Ele sabe qual é seu destino. Está no fogo cruzado entre um homem determinado a recuperar a filha e um psicopata disposto a matá-lo de qualquer maneira. O que dá pra fazer é tentar ganhar tempo. E sentir as pernas e os braços novamente. Antonio mantém a postura fria e desvia do olhar desesperado de seu traidor.

20.

Um pequeno barco desliza pelo rio. Antonio o pilota. Ele tem uma pistola na mão e olha para todos os lados. Sabe que está se aproximando de uma zona de alta periculosidade. Vicente, sentado no barco, está com as mãos amarradas para trás. A posição não é confortável, mas em nada se compara com a dor que havia sentido poucos momentos antes. O silêncio impera. Vicente indica com a cabeça a direção da margem. Estão chegando.

O barco atraca. Quando começam a desembarcar na areia, ouvem o som de um motor. Olham para os lados e, na curva do rio, surge outro barco, que se aproxima com dois homens dentro, em alta velocidade. Começam a atirar antes de qualquer possível ação de Antonio e Vicente. Antonio se abriga atrás de uma árvore e dispara contra os homens. Vicente joga-se na água, junto ao barco, de mãos amarradas. É o que consegue fazer para se proteger. Antonio atira novamente e consegue acertar o condutor da embarcação. Com o impacto do projétil, ele mantém o manete acelerado enquanto desmaia lentamente.

O barco dirige-se para a margem a toda velocidade, avançando sobre a terra. O impacto faz com que ele vire. Antonio aproxima-se do barco virado, e o outro homem, coberto de areia e ainda se recuperando do impacto, pega um revólver para atirar em Antonio, que revida com um disparo certeiro em sua cabeça.

Antonio e Vicente caminham pela floresta, parando em uma clareira para descansar um pouco. Vicente está quieto. Ainda tem as mãos amarradas para trás.

Antonio olha ao redor. Mantém o tempo todo a pistola em sua mão.

— Agora a gente espera anoitecer — diz ele.

Vicente observa os arredores e depois diz a Antonio:

— Impressionante o jeito como você acertou aquele cara no barco.

Antonio não se deixa levar pelo comentário elogioso.

— Sei... Pois saiba que eu não tenho o menor orgulho disso.

— Mas eram eles ou nós...

— Fui treinado para ser "eles ou nós". Mas repito, não tenho orgulho disso.

— Com orgulho ou sem orgulho, você é muito bom.

Antonio não dá seguimento ao assunto. Após uma pausa, Vicente retoma:

— Quando souberam que você estava por aqui, Nico disse que ninguém precisava se preocupar com o "velho" pai da menina.

Antonio olha para Vicente e diz:
— Pois é. Ninguém precisa se preocupar com "o velho".
— Imagina se você não fosse velho! — diz Vicente empolgado, rindo pela primeira vez.
— Cala a boca, é melhor. Deixa eu prestar atenção nos sons.
Antonio se levanta para observar melhor o ambiente.
— Qualquer som que venha da floresta pode ser a diferença entre "eles ou nós" — diz Antonio mais para si mesmo do que para Vicente, como se tentasse enxergar algo no meio da mata.

Enquanto Antonio e Vicente esperam pelo anoitecer em meio ao calor úmido e sufocante da Floresta Amazônica, a milhares de quilômetros dali, em São Paulo, na sede da Souza e Silva, Henrique discute asperamente com o filho:
— Eu estou muito decepcionado com você. É como se tudo o que sonhei tivesse desmoronado em um instante. Nunca pensei que uma decepção dessas fosse possível, nunca pensei.
Marcelo mantém-se imóvel, como os objetos finos e inanimados que decoram a sala da diretoria. Nada do que o pai diz lhe afeta, para o bem ou para o mal. Ele sabe que precisa agir dessa maneira, pois está em um caminho sem volta. Meteu-se com gente grande, que ele sabe bem quem é.
Ouve e olha fixamente para um ponto na parede, longe do olhar do pai.
— Não sei o que passou pela sua cabeça, delinquente, mas exijo que solte a garota, que faça isso agora! Anda, dê o comando!
— Não posso. Não consigo. Eu não tenho o controle sobre o grupo da Amazônia. O embarque da madeira está autorizado, a

documentação está ok, e o que acontece ao redor não é responsabilidade minha. Tem muita gente do governo junto, não sou a principal figura. Nunca imaginei que haveria tantos interesses.

Henrique dá um violento tapa na mesa. Aproxima-se do filho de tal maneira que este já não consegue mais desviar o olhar.

— Você acha que eu sou idiota? Que construí tudo isso aqui sendo um imbecil? Eu sei como você conseguiu essa documentação, quanta gente deve ter subornado. Então, não se faça de desentendido, não vem com essa de "não tenho controle". Você tem controle, sim, e gastou muito dinheiro para isso. Dinheiro que eu conquistei. É uma pena que só tenha você como herdeiro. Meu patrimônio sendo usado pra comprar meia dúzia de políticos de merda! Gente que vale tanto quanto você. Entrou de cabeça nesse vale-tudo da área ambiental. Em busca de dinheiro, que você já tem de sobra!

Henrique começa a se sentir mal e passa a respirar mais fundo para se recuperar. Continua seu discurso:

— Pessoas como você têm uma índole ruim. Muita gente me alertou quanto a isso. Deveria ter ouvido. Tantos me falaram que você não tinha aptidão para o cargo, que eu deveria profissionalizar a sucessão. Mas não, segui meu coração, na esperança de que você se tornasse alguém capaz. Tudo isso pra descobrir que, além de incompetente, você é bandido. Olha, bandido com dinheiro tem controle sobre aqueles que o obedecem. São esses os envolvidos nessa operação absurda.

Marcelo levanta o olhar na direção do pai. Assume uma postura mais proativa e sai em sua defesa:

— E você, pai? Quer mesmo me convencer de que construiu tudo isso aqui sendo um bom moço? Acha mesmo que não sei como as coisas funcionam? Quantos você precisou comprar pra conseguir o que queria, hein?

Henrique aproxima-se ainda mais do filho, ficando a apenas alguns centímetros de seu rosto.

— Joguei o jogo do mercado. Usei de inteligência para fazer negócios, mas jamais fui um criminoso como você. Uma parcela deste país, a que você representa, não age pelo dinheiro, como agi. Mas por pura maldade, em nome da "superioridade da raça dominante". São nazistas, fascistas, bandidos por natureza. E eu? Não passo de um idiota que nunca percebeu o ovo de serpente que eclodia dentro da minha própria casa. Esse foi o meu erro.

Antonio amarra Vicente a uma árvore.

— Vou ficar aqui? Amarrado? Pra sempre? — pergunta o rapaz, incrédulo.

— Cedo ou tarde você vai conseguir se livrar dessas cordas. A questão é quando. Agora abre a boca.

Antonio introduz um pano na boca de Vicente. A mordaça impede que o rapaz emita qualquer som além de gemidos.

21.

Antonio anda sorrateiramente em direção ao cativeiro. Seu *modus operandi* é o mesmo do dia anterior, quando invadiu o acampamento: aproxima-se protegido pela escuridão da floresta e, com um golpe seco na traqueia, desmobiliza um dos homens que fazem a guarda do local. É um gesto rápido e silencioso. O agredido desmaia sem emitir qualquer som.

Antonio segue pela mata até um local onde avista uma espécie de jaula subterrânea. É possível ver apenas a parte de cima, uma grade feita de bambu rente à superfície. A sensação de estar próximo da filha, que talvez estivesse presa ali dentro, passando sabe-se Deus o que, é algo que desestabiliza o lado emocional de Antonio.

Ele está tão perto… E, ao mesmo tempo, a cada segundo aumenta a impossibilidade de sair vivo daquele lugar. Tudo se confunde. Como sempre, é preciso ter um norte. Acreditar que, entre tantos caminhos, algum deve ser o Norte da bússola.

Resta apegar-se à esperança de que, se saísse vivo daquele lugar, Lia estaria com ele. Caso contrário, seria o fim de tudo, e aquela possibilidade também o assombrava desde o acontecimento do sequestro. Qual seria o sentido de voltar para São Paulo, para o apartamento na Bela Vista, sozinho? Jamais suportaria aquelas paredes e móveis e quadros e aquela solidão. Aprumando-se, deixa os pensamentos ruins de lado e parte para a luta que o esperava.

Ele olha à sua volta, e não há ninguém por perto. Não há guardas, o que é um indicativo da prepotência dos sequestradores. Ou de uma emboscada para uma presa desatenta. O que importa? De todo modo, os riscos eram gigantescos.

Antonio rasteja em direção à tampa da jaula. Olha por entre os bambus que compõem a grade, e seu coração dispara ao ver Lia e os companheiros amarrados aos bambus. Estão em uma posição que os obriga a ficar de pé, pois suas mãos estão presas por uma corda no alto, no nível do chão em que Antonio se encontra. Estão semiacordados. Parecem drogados.

A visão da filha e de seus amigos naquela situação prejudica a concentração extrema de Antonio. Alguém se aproxima, mas esse breve deslize é o suficiente para que ele não perceba. É atingido por uma coronhada na cabeça. A segunda hipótese mostrou-se correta. De fato, não havia ninguém de guarda, mas não por prepotência do sequestrador, e sim estratégia. A presa havia chegado.

Antonio desperta. Está amarrado, preso dentro da jaula subterrânea. Nico está diante dele.

— Eu sempre admirei gestos nobres de pais que fazem tudo por um filho, de verdade. Mesmo quando o pai é o filho da puta que destruiu meu acampamento. Mas gesto sentimental é uma coisa, prejuízo é outra. Você já causou muitos prejuízos para o nosso grupo. Além de perdas. Companheiros nossos que você matou e que tinham uma longa lista de serviços prestados. Você fodeu com tudo, mas, como sempre, a hora chega.

Antonio olha em volta e vê a filha e os amigos ainda amarrados pelas mãos na grade acima, no nível do chão. Estão visivelmente dopados ou em estado de sonolência por conta da exaustão. É como se não percebessem que ele está ali.

João Caetano, o líder da ONG, é claramente o mais agredido de todos. Seu rosto parece bastante inchado.

— O que você fez não foi pouco. Sabe, temos uma ética interna pela qual morrer, às vezes, é um prêmio. Então, você vai sofrer o suficiente para pagar por tudo o que fez. Não sei se chegou a perceber, mas todos aqui passam o tempo jogando. Isso se tornou uma espécie de vício.

Nico prossegue:

— Um vício incontrolável... mas, olha, somos muito criativos. Diante disso, Antonio, esteja preparado. O jogo vai começar, e as apostas estão abertas. O grupo está cacifado com a venda dessa carga gigante para os gringos, então as apostas serão altas.

A partir daí, começa a explanação sobre o que vai acontecer. Antonio está algemado a uma espécie de estaca de aço com um gancho na ponta. Nico espalha gasolina em todo o piso do local, molhando também os pés dos quatro prisioneiros.

— Eu já não preciso dos reféns. Eram somente a garantia de que a carga seria embarcada sem sobressaltos, apesar de você para nos atrapalhar. Mas, no fim, deu tudo certo. Agora vamos comemorar fazendo o que mais gostamos: jogar.

Nico acende uma vela e a dispõe cuidadosamente no chão. Faz tudo isso com o detalhismo de quem tem noção do risco que corre caso execute um movimento em falso. Antonio percebe que Nico sente prazer naqueles gestos, inclusive nos riscos desnecessários que impõe a si próprio.

– Quando o fogo chegar na gasolina, todos aqui vão queimar... vivos. Com dor, com desespero. E não vai ser rápido... Só pra quem assiste. Pra vocês, vai durar uma eternidade até que o organismo apague, deixando o fogo fazer seu trabalho silenciosamente.

Nico revela o plano macabro como se pensasse nele há muito tempo. Corre por suas veias um prazer no risco de ele próprio estar pisando naquela gasolina, a vela acesa a poucos metros da superfície. Ele se deleita em torturar mentalmente Antonio.

Dando prosseguimento ao seu espetáculo, em um gesto estudado, Nico entrega uma pequena serra de cortar ferro para Antonio, que olha fixamente para seu algoz. A encenação demonstra o que está prestes a acontecer. Por mais que tente pensar rápido, Antonio reconhece que as probabilidades são as piores possíveis.

Ao olhar para Lia, semiconsciente e amarrada com as mãos para cima, Antonio pensa que aquele, apesar de brutal, é um jeito de encerrar um ciclo. "A família que deixou de existir", é a frase que permeia seus pensamentos. Primeiro a esposa, com aquela morte horrível. Depois a decisão da filha de "fugir" para tão longe quanto possível, realizando um sonho do qual ele não fazia parte. E, agora, sua própria vida.

Antonio faz uma avaliação de tudo o que vivera e não há como não se questionar sobre o sentido – ou sobre a ausência de sentido – em tudo aquilo. Por que dedicara sua vida a servir e proteger a mesma família que era responsável por sua destruição?

"Aqui te dei condições de viver e aqui acabo com tudo", poderia ser o pensamento de Henrique caso estivesse ali assistindo à cena. Mas Antonio afastou esse pensamento, pois ainda acreditava na inocência do antigo chefe. Embora isso nada importasse naquele momento.

Toda essa reflexão não durou mais do que alguns segundos. Nico estava prostrado ali, diante dele, como um lembrete de que a hora final se aproximava.

— Para serrar essa algema de aço, você vai demorar muito mais tempo do que a vela vai levar até ser consumida e o fogo atingir a gasolina. Mas, caso tenha a coragem de serrar seu próprio pulso, vai ser rápido o suficiente para apagar a vela e salvar o dia — diz Nico cheio de excitação.

— E aí você nos mata lá em cima — diz Antonio com a serra já em sua mão.

— Quem sabe? Você não tem como julgar nossa ética de jogo. Arrisque. Pode ser que a gente cumpra com a palavra e você saia ileso. Bem, sangrando e sem uma mão, na verdade… Mas saia.

— Você é um criminoso que acha que todo mundo é imbecil. Eu sei das minhas chances.

— Arrisque — repete Nico. — Ou você tem algo melhor a fazer?

Era impossível para Antonio não enxergar a ironia da situação. Há poucas horas submetera Vicente a algo muito parecido. Só o lado havia mudado.

Nico sobe a escada e diz que vai aguardar do lado de fora, na superfície, para ver quem ganha.

— Eu apostei que você não consegue. Que vai queimar com todos os outros. Tem gente que acha o contrário. Mas eu raramente perco.

Antonio tenta serrar a algema e percebe o quanto é difícil. Olha para a vela, que começa a reduzir de tamanho em direção à gasolina espalhada por todo o chão. Não é possível estimar quanto tempo ainda lhe resta. Após investir contra a algema com todo esforço, não conseguiu mais do que um pequeno arranhão na superfície de aço. Tenta, em seguida, arrancar o ferro cravado no chão, mas já sabe de antemão que aquilo não seria possível. Nico podia ser muitas coisas, mas não era idiota. Jamais deixaria o ferro cravado de algum modo que lhe permitisse ser retirado por alguém sozinho.

Antonio olha para Lia e seus companheiros. Pensa que, talvez, se todos somassem forças, pudessem arrancar a estaca do chão. No entanto, além de amarrados, eles estão completamente fora de si. "Como vou tirar essa gente daqui nessas condições?" Um turbilhão de dúvidas o toma de assalto. São *flashes* que ecoam como um metal e fazem doer os ouvidos, reverberando o som da serra na vã tentativa de cortar a algema.

Como vai ser quando o fogo tomar conta de tudo? Lia sentirá alguma coisa? Antonio espera que não, que as drogas ou seja lá o que lhe fora dado funcionem como um escudo contra a realidade, o inferno que se aproxima.

Por mais que tente se controlar, o desespero começa a tomar conta de Antonio. Ele conclui que é impossível serrar a algema. Cada segundo é um passo a mais na direção da morte.

Até que uma ideia lhe vem à cabeça. Como não havia pensado nisso antes? Uma atitude dolorosa, mas nem de perto tão ruim quanto o cenário que se desenha à sua frente.

Respirando fundo, Antonio começa a quebrar os próprios dedos da mão, um a um, até liberar a mão da algema. A dor, como previra, é inenarrável, mas desaparece quando ele se vê livre. A adrenalina da possibilidade de se salvar é maior do que tudo. Mas não há tempo para comemorações. O futuro está à espera lá fora. Quem será o ganhador da aposta?

Após apagar cuidadosamente a vela, Antonio sobe pela escada que leva até à grade de bambu no teto. Força-a até conseguir soltar uma parte. Vem agora a dúvida: como tirar Lia e os companheiros daquele buraco?

Ele volta até Lia e tenta acordá-la. Dá leves tapas em seu rosto, mas o máximo de resposta que obtém são sons incompreensíveis.

– Olha pra mim! É o seu pai! Olha pra mim!

Lia mantém os olhos fechados. Antonio desamarra os prisioneiros um por um. Os quatro ficam deitados sobre o chão e fazem alguns movimentos descoordenados. Ainda há gasolina espalhada por ali, então todo cuidado é necessário.

Antonio tenta levar Lia até a escada e empurrá-la, mas não consegue. Olha para o bambu na parte superior e percebe que, se o utilizar como uma espécie de roldana, conseguirá levá-la até o alto e tirá-la dali em seguida, mas tudo exige tempo e faz barulho.

Ele conclui, por meio das vozes que consegue distinguir, que, além de Nico, devem estar presentes no local mais uns três ou quatro comparsas. Analisa aqueles sons por algum momento até decidir que o melhor é tentar anular o grupo. É o único jeito. Não seria possível tirar Lia e os outros dali sem ser visto pelo grupo de cima. O único caminho seria enfrentá-los.

Seria, caso o grupo não tivesse antevisto essa possibilidade. E não deixaria barato. Ao levantar parte da grade de bambu e sair tentando rastejar, tiros começam a vir de todo lado. Antonio desiste do rastejo e passa a correr em ziguezague na direção dos dois homens mais próximos. É alvejado no colete, mas, surpreendentemente, permanece em pé.

A escuridão é propícia para a empreitada de Antonio, que, em um gesto aparentemente insano e desesperado, atira-se sobre um dos homens e consegue afanar a arma dele. Dispara contra os outros três, que se aproximam. Antonio percebe que errou de cálculo, e há mais gente ali do que ele imaginava. A munição termina. Nico surge à sua frente e solta sua arma no chão, sorrindo.

– Eu admiro você, mas não posso perder o respeito dos meus homens. Subestimei sua coragem, mas a gente pode resolver isso de um jeito mais natural. Uma luta, jogo limpo, corpo a corpo.

Antonio avista, ao longe, quatro comparsas de Nico tirando os prisioneiros do buraco-cativeiro. Lia é a primeira sair e fica sentada no chão de terra. Um dos homens a força a ficar de pé.

"É um bom sinal", pensa Antonio. Nico está parado diante dele, à espera de uma resposta ao desafio.

Antonio se levanta e procura ganhar o máximo de tempo. Vê ao longe que mais um companheiro de Lia é retirado e amarrado a ela.

Os dois começam a lutar. Antonio tem os dedos da mão quebrados e tenta se defender de Nico, que além de mais jovem parece muito bem-preparado para o combate físico. Novamente, é palpável o entusiasmo de Nico ante aquela encenação toda, seja da luta, seja da aposta com a vela e a gasolina. Tudo é parte de seu DNA psicopata. Com um soco, ele derruba Antonio, que não consegue reagir.

No chão, Nico agride Antonio, transformando a luta em algo ainda mais violento. Mesmo no meio do ataque, ele consegue ver que agora todos já saíram do cativeiro. Eles começam a ser levados ao interior da floresta. Antonio, que até então se defendia como podia, com os braços, percebe que o tempo está se esgotando. Para onde levarão todos? Esteve tão perto, tão...

Nico desfruta de sua *performance* utilizando Antonio como um saco de pancadas. Esperava mais reação. O outro se limita a se defender. Talvez fosse a dor pelos dedos quebrados. Nico então comete o erro do paraquedista de mil saltos: a soberba da vitória antecipada. Em um átimo, Antonio consegue desferir-lhe um único golpe, uma ação certeira com o punho bom fechado. Atingido no queixo por um gancho de baixo para cima, Nico cai no chão desmaiado.

Não há tempo para pensar, é preciso agir. Antonio vê que Lia e os amigos desaparecem na mata. Pega as armas de Nico e corre na direção para onde seguiram os três homens e seus prisioneiros.

Na floresta, Antonio corre e chega até a margem do rio Tapajós. Os prisioneiros já estão no barco, e há mais três homens ali. Dois homens partem com os prisioneiros sem se darem conta da presença de Antonio.

Um dos homens permanece na margem. No momento que ele se vira em direção à floresta, Antonio lhe aplica uma coronhada na cabeça. Pega a arma e entra em um dos pequenos barcos restantes. Tomado de adrenalina, Antonio tenta em vão ligar o motor do pequeno barco. Ele puxa a cordinha do motor de popa e nada acontece. Vê o barco com os reféns se afastando para o meio do rio.

Antonio pula para o barco ao lado, repetindo o procedimento. O motor engasga, mas pega. Antonio acelera com tudo, fazendo com que o barco quase empine na saída

por causa da liberação de potência. Ele sabe que precisa, mais do que nunca, de controle. Respira fundo e reassume o comando de sua mente. Antonio faz com que o barco deslize em direção ao meio do rio, no encalço do outro, que já vai longe. Vai na maior velocidade possível, porém mantendo alguma segurança.

Está muito perto, mas não pode correr o risco de cair na água em plena noite escura da Amazônia.

A perseguição segue rio afora. Ao perceberem a aproximação do barco de Antonio, os dois sequestradores atiram. A trepidação da embarcação não é favorável a uma boa mira, mas mesmo assim Antonio é novamente atingido no colete. Ele sente o impacto. Abaixa-se e conduz o barco não mais em linha reta, mas em ziguezague, criando dificuldade para ser atingido.

Aos poucos, Antonio consegue emparelhar seu barco com o outro. Ambas as embarcações balançam muito, mas Antonio tem a desvantagem de estar com os dedos da mão quebrados. Sabe que, para atirar, precisará fixar o manete com o joelho e utilizar a mão boa para a ação. Assim, procura encontrar o melhor ponto para executar seu malabarismo e manter-se alinhado paralelamente ao barco dos reféns.

Antonio aproxima-se. Os homens continuam a alvejá-lo, mas já não têm a mesma sorte. Ele firma o joelho no manete e consegue acertar um deles. O outro, assustado, faz uma ação para intimidá-lo, atirando em direção a Lia, que cai ferida. Antonio reage por instinto e, mesmo com a trepidação do barco e a escuridão da noite, dispara um único tiro e vê a cabeça do homem se esfacelar e ele cair sobre o motor, mantendo o manete acelerado.

O barco descontrolado se dirige para a margem. Antonio encosta e faz uma manobra arriscada, saltando para dentro do barco dos reféns. Em total desequilíbrio, consegue controlar a embarcação, que, mesmo assim, bate na margem, virando, ainda que em menor velocidade.

Os reféns continuam fora de si, em função do efeito das drogas. Antonio verifica se todos estão bem e abraça Lia. Ao erguer os olhos, vê o vulto de alguns homens se aproximando. Fica paralisado. Mas respira fundo ao perceber que são membros dos Mundurukus, e o cacique está diante deles.

23.

Todos são levados para a aldeia. Há uma comoção no ar com o retorno de Osvaldo e Yara para casa. O cacique se aproxima de Antonio:

— Você vai ficar bem. Todos vão ficar bem. Pajé sabe tratar de vocês.

Antonio agradece fazendo um gesto. A exaustão toma conta de seu corpo.

— O povo Munduruku agradece a sua valentia.

— Não foi valentia, cacique. Foi desespero. O desespero de um pai em busca da sua filha.

— Cacique também estava desesperado, mas não foi atrás dos filhos.

Ao dizer isso, o cacique se afasta, deixando claro o quanto lhe doía não ter tido a mesma coragem de Antonio, mas isso de nada importava no momento. Lia estava com ele, e nem a dor que sentia na mão nem o cansaço absurdo eram significativos naquela hora.

O cacique chama o pajé, que demonstra saber como tratar a intoxicação dos reféns. Lia fora ferida no ombro e recebe especial atenção. João Caetano e os irmãos Osvaldo e Yara ainda estão dopados, mas não demandam tantos cuidados quanto Lia.

O pajé quer cuidar da mão de Antonio, mas este pede que ele primeiro atenda ao resto do grupo. Seus dedos estão inchados.

A bala não se alojou no ombro de Lia, mas fez um considerável estrago. A prioridade é debelar a infecção que avança sobre o ferimento. O pajé aplica uma espécie de pano quente sobre o local, a fim de esterilizar a ferida. Em seguida, junta as partes abertas do ferimento, como um beliscão, e aplica uma resina em gotas na área, algo como uma cola que funciona como pontos.

Pouco tempo depois, Antonio recebe um tratamento à base de ópio, que começa a anestesiar suas dores. Ele observa a medicina dos indígenas com especial atenção. É no mínimo surpreendente assistir àquele processo e pensar no quanto a ciência poderia estar mais integrada a esse tipo de procedimento, que certamente existia há séculos. Um conhecimento de sobrevivência adquirido ao longo de inúmeras gerações, capaz de ajudar tanto as pessoas das grandes cidades, que se espremem em filas de hospitais em busca de tratamento médico.

Tudo isso se passava na cabeça de Antonio como resultado do ópio administrado, que trazia ao seu corpo uma tranquilidade que há muito tempo ele não sentia.

Após o tratamento do grupo, o pajé dirige-se a Antonio e, com maestria, encaixa os ossos quebrados de seus dedos como se fosse um ortopedista experiente de qualquer renomado hospital. É o conhecimento da floresta operando milagres aos olhos de um homem urbano que tenta processar tudo o que está vivendo ali naquela aldeia, no coração da Floresta Amazônica.

Antonio tem a mão enfaixada com uma tala de madeira e folhas de bananeira. O chá oferecido pelo pajé ao grupo começa a surtir efeito e a eliminar as substâncias que tomavam conta dos reféns, que, aos poucos, começam a recobrar a consciência.

Lia abraça o pai e chora muito. Antonio permite que sua sisudez natural se esvaia, e lágrimas brotam de seus olhos como há muito não acontecia. Não havia chorado tanto desde o enterro da esposa. Aquele choro fora de despedida; este, de reencontro. Mas extravasar o sentimento dos últimos dias – dos últimos anos, na verdade – era necessário como nunca.

Com o retorno dos reféns à consciência, a alegria do reencontro também é possível para Osvaldo e Yara, que abraçam o cacique. João Caetano é quem mais demora para se recuperar. Por ser o líder do grupo, fora o mais agredido por Nico. João observa a cena repleta de ternura e abraços e se sente sozinho. No fundo, ele sempre soube que a missão de liderar aquele projeto lhe custaria a vida pessoal, mas ok, estava vivo e pronto para prosseguir.

Enquanto o clima de reencontros enternece a aldeia, em outra parte da floresta Nico está no local onde Vicente foi abandonado amarrado. Um de seus homens está com ele. Os dois se olham e observam as cordas e o telefone via satélite utilizado por Vicente. Concluem que o rapaz o largara ali para evitar ser localizado. Nico olha ao redor e nada diz ao comandado. Seu rosto está desfigurado pela luta com Antonio.

– Pra onde foi o filho da puta, chefe?

– Não importa. Foda-se. Um dia a gente encontra ele e… – Nico faz uma pausa, pega o telefone e segue caminhando mata adentro.

Nico era irredutível. Tinha uma capacidade ímpar de não se deixar vencer. Era isso o que o levara até aquele posto de liderança incontestável por todos. Sabia das dimensões do estrago causado e quem era o responsável por aquilo. Mas o pragmatismo era sua maior virtude. Por ora, deixaria tudo para depois. Era o momento de reorganizar as coisas. A missão havia sido cumprida.

24.

No pequeno quarto em Santarém, na casa de Sanchez, Antonio conversa com Lia. As emoções da aventura de sobrevivência estavam apaziguadas, mas o perigo era iminente. Era óbvio que Nico empenharia novas ações até recuperar seu grupo, mas permanecer ali enquanto isso era um risco desnecessário.

Antonio e Lia precisavam voltar para casa. Mas, ao tratarem do assunto, Lia desaba em meio a uma crise de choro:

– Não posso voltar para São Paulo, pai.

Antonio não consegue entender o que se passa.

– Lia. Filha… Depois de tudo isso… Como posso voltar pra casa sem você? Por favor, me explica, o que está acontecendo?

– Pai, eu preciso te contar uma coisa…

O que foi dito, a relevância de tudo, nada disso importa neste momento. Mas as consequências da revelação de Lia, sim.

Não muito longe dali, em uma pista de terra no meio da floresta, Nico fala ao telefone via satélite junto a um pequeno avião monomotor já prestes a decolar.

— Doutor, como o senhor sabe, a madeira foi toda embarcada para os Estados Unidos. Os contratempos foram resolvidos, e a carga partiu em segurança. Agora, preciso de um tempo na Colômbia até as coisas esfriarem. Vamos trabalhar juntos de novo em breve. Conte comigo.

Do outro lado da linha, Marcelo Souza e Silva responde a Nico:

— *Estou sendo pressionado aqui, Nico. Estou negando tudo, mas a pressão é terrível. Posso ficar tranquilo mesmo?*

— Claro que pode, doutor. O principal ainda temos. Tá em nosso poder a garantia. Todo o resto é um monte de nada.

Nico conclui a ligação e embarca no monomotor.

O pequeno avião decola levantando poeira.

Enquanto isso, em São Paulo, Marcelo entra em sua sala ainda com o celular em mãos. Por detrás de uma cortina, surge Antonio.

— O "velho" aqui cuidava melhor da segurança desta família — sussurra ele apontando uma arma para a cabeça de Marcelo, que, confuso, procura entender como fora possível ao homem entrar ali.

— Onde ele está? — continua Antonio. — Ou você me diz agora, ou te mato. Você sabe que eu não tenho mais nada a perder. Você é o responsável pela minha liberdade de estourar sua cabeça e voar por aquela janela. Nada mais me assusta.

Antonio engatilha a pistola diante da testa de Marcelo.

Nesse momento, Henrique Souza e Silva entra na sala.

— Baixe a arma, pelo amor de Deus! — grita ele ao ver a cena que se desenrola.

Antonio está imóvel. Mantém a arma apontada para a testa de Marcelo e o olhar fixo no novo presidente do grupo.

— Meu filho não presta, Antonio, mas você não vai fazer nada contra ele. Mesmo que ele mereça — diz Henrique.

— Ah, não? E por quê? — pergunta Antonio sem olhar para Henrique.

— Porque sua questão é comigo. Acerte as contas comigo, que te conheço há tantos anos e sempre te respeitei.

O argumento de Henrique é objetivo e certeiro. Antonio se vê diante do homem que conhece há mais de trinta anos e do qual nunca tivera um motivo sequer para duvidar de sua integridade.

— Tudo vai estar resolvido até amanhã, você tem minha palavra. Volte para encontrar sua filha, Antonio. Confie em mim uma última vez, eu te peço. Você não vai se arrepender.

Antonio olha para Henrique e para Marcelo, que desvia o olhar, mirando um ponto neutro na parede.

— Eu sempre confiei em você, Henrique.

Recuar era a melhor decisão no momento. Tanto risco, tanta dor, tantas dúvidas em meio à inexistente probabilidade de obter êxito ao empreender uma ação solitária contra um grupo fortemente armado. Precisava agora de um sentido.

Antonio sabia que sua capacidade de lutar uma guerra particular contra o grupo de Nico era fruto de sua objetividade e, também, do treinamento recebido ao longo dos anos, financiado por Henrique. Portanto, restava-lhe torcer para ter tomado a decisão certa. Matar Marcelo na sala da presidência do Grupo Souza e Silva, na frente do pai, seria nada mais do que um ato de vingança, um enorme problema, quando ele precisava se concentrar em achar soluções.

25.

De volta a Alter do Chão, na Floresta Amazônica, um pequeno barco se aproxima lentamente do rio Tapajós, palco de tantas batalhas e tanto sangue nos dias anteriores. Na margem, Antonio, Lia e Osvaldo contemplam o barco com especial atenção.

Um *flash* passa pela cabeça de Antonio:

— Por que você não contou antes? — pergunta Antonio atônito.

Lia olha para o teto do pequeno quarto, em busca das palavras certas para não agredir o pai.

— Veja... — ela começa — por dois anos eu convidei, eu implorei para que você viesse me ver. Mas você nunca deixou "aquela família" por um dia sequer e... eu queria tanto que você fizesse isso por mim. Que uma única vez viesse até mim, que abrisse mão da sua fidelidade a eles em nome de um pedido da sua única filha. Isso me magoou muito. Por isso não contei. Jamais contaria algo tão importante da minha vida por telefone, mensagem. Tinha que ser olhando nos seus olhos, pai, para poder ver a sua emoção.

O barquinho chega, e uma mulher carrega uma criança de cerca de um ano de idade no colo. A criança tem traços indígenas. Lia entra na água, que bate em sua cintura, e abraça o garotinho.

Na margem, Antonio observa a cena, emocionado. Osvaldo olha para ele e diz:

– Seu neto.

Em São Paulo, Henrique Souza e Silva, na sala da presidência, assiste pela TV a imagens de Marcelo sendo preso pela Polícia Federal.

No noticiário, é Jonas que dá a notícia:

– *O empresário era chefe de uma transação internacional de madeira nobre da Amazônia. A carga foi interceptada após provas apresentadas pela ONG The Legal Amazon.*

Henrique assiste a tudo imóvel. Sua expressão é carregada.

Na floresta, na aldeia da família de Osvaldo e Yara, Antonio brinca com o neto. Lia sorri e abraça Osvaldo. Ambos se beijam. É dia de festa na aldeia Munduruku. Antonio pensa sobre o quanto às vezes, longe de tudo, fica mais fácil unir pessoas, costumes, crenças. "É a vida... Ou, pelo menos, deveria ser", pensa ele abraçado ao neto.

O importante era que se aproximava o aniversário de 65 anos. E, dessa vez, ele não iria comemorar sozinho.

Livros para mudar o mundo. O seu mundo.

Para conhecer os nossos próximos lançamentos
e títulos disponíveis, acesse:

🌐 www.**citadel**.com.br

f /**citadeleditora**

📷 @**citadeleditora**

🐦 @**citadeleditora**

▶ Citadel – Grupo Editorial

Para mais informações ou dúvidas sobre a obra,
entre em contato conosco por e-mail:

✉ contato@**citadel**.com.br